ATGOFION AWYRENNWR

Atgofion Awyrennwr

Cledwyn Jones

Argraffiad cyntaf: 2013

(h) Cledwyn Jones/Gwasg Carreg Gwalch

Rhif rhyngwladol: 978-1-84527-451-1

Mae'r cyhoeddwr yn cydnabod cefnogaeth ariannol
Cyngor Llyfrau Cymru

Cynllun clawr: Sion Ilar
Llun clawr: Hefin Williams

Cyhoeddwyd gan Wasg Carreg Gwalch,
12 Iard yr Orsaf, Llanrwst, Conwy, LL26 0EH.
Ffôn: 01492 642031 Ffacs: 01492 641502
e-bost: llyfrau@carreg-gwalch.com
lle ar y we: www.carreg-gwalch.com

*Cyflwynir y gyfrol hon
i
Meriel, Bryn a Shwan
a
Nhad a Mam*

*Diolch i
Bryn am ei gymorth parod;
Hefin Williams am y ffotograff unigryw o'r
Hurricane a'r Spitfire ar y clawr;
Nia Roberts, Gwasg Carreg Gwalch am ei
chydweithrediad gwerthfawr;
holl staff Gwasg Carreg Gwalch.*

Rhagymadrodd

Ym Mehefin 2002, a minnau'n dathlu fy mhen-blwydd yn 87 mlwydd oed, derbyniais lyfr (Saesneg) gan fy ngwraig, *First Light* gan Geoffrey Wellum. Clasur o lyfr, yn disgrifio profiadau peilot ifanc yn y RAF yn 1940/45. Aeth yn syth o'r ysgol i'r RAF yn ddeunaw oed, ac ar ôl gorffen ei hyfforddiant, aeth ef a'i Spitfire i wynebu cannoedd o awyrennau Almaeneg ym Mrwydr Prydain (*Battle of Britain*).

Yr oedd ei gefndir cymdeithasol yn wahanol iawn i'm cefndir i. Yn gyntaf, Sais uniaith oedd o, o gefndir cyfoethog, ac wedi derbyn ei addysg mewn ysgol breifat. Ond yr un oedd ein darpariadau ar gyfer hedfan.

Disgrifiad o'i ddyddiau cynnar yn y RAF oedd traean cyntaf ei lyfr, a'r darpariadau i fod yn beilot ar gyfer yr ornest oedd i ddod. Dyna'n union oedd fy mhrofiadau innau hefyd, yn gynnwrf i gyd wrth weld fy maes awyr cyntaf a'r awyrennau oedd yn disgwyl amdanaf. Teimlwn innau'r un ofnau ag yntau, yn hedfan yn yr un math o awyrennau (Tiger Moth a Harvard yn bennaf).

Dyma'r llyfr a'm hysgogodd i ysgrifennu ychydig am rai o'm profiadau innau yn y RAF yn 1941/45 – ond yn Gymraeg. Cyn belled ag y gwyddwn, nid oedd neb wedi cyhoeddi llyfr cyffelyb yn y Gymraeg, a theimlwn ei bod yn hen bryd i'r hen iaith gael ei lle mewn llyfr o'r fath.

Rhagarweiniad

Ganwyd fi ar ddydd Sadwrn chwilboeth, 2 Mehefin 1923, a byddai fy mam yn ei blynyddoedd olaf yn f'atgoffa o hyn dro ar ôl tro, rhag ofn i mi anghofio'r diwrnod tyngedfennol hwnnw. Bum mlynedd cyn fy ngeni, yr oedd y gynnau mawr yn Ffrainc wedi tewi, a heddwch yn teyrnasu, 'am byth' meddai'r gwleidyddion hollwybodus. Boed hynny fel y bo. Ond yr oedd atgofion dychrynllyd am y cyfnod yn fyw iawn, iawn ar gof a gwefusau trigolion y pentref lle'm ganwyd, yn arbennig gan y milwyr a ddychwelsai yn ddianaf o'r drin – a pheidied anghofio tristwch y rhieni hynny a gollodd fab neu hyd yn oed feibion, ac yn waeth na dim, y trueiniaid hynny a ddychwelodd wedi eu handwyo gan nwy gwenwynig neu siel-syfrdandod (*shell-shock*), neu wedi colli braich neu goes, ac yr oedd llawer ohonynt o gwmpas.

Tal-y-sarn, Dyffryn Nantlle oedd mangre fy ngenedigaeth. Pentref bychan, diwydiannol ydoedd a gynhyrchai filoedd o dunelli o gerrig ar gyfer adeiladau o bob math, ac yma y treuliais ddeunaw mlynedd cyntaf fy mywyd.

Yn wahanol i'r chwareli eraill yng Ngwynedd, tyllau dwfn o rai cannoedd o droedfeddi oedd y dull arferol o ddilyn y wythïen a gynhyrchai'r cerrig. 'Cerrig' oedd yr enw a ddefnyddiai chwarelwyr Dyffryn Nantlle, nid llechi na ysglatis na slates.

'Oer to gwellt i ŵr teg ach
Ysglatis fyddai glytach'

meddai Sion Tudur mewn cywydd 'gofyn' at Ddeon
Cadeirlan Bangor yn yr unfed ganrif ar bymtheg. Yr oedd
tyllau chwareli Dyffryn Nantlle yn wahanol i chwareli
anferth y Penrhyn a Dinorwig. Gwahanol unigolion oedd
perchnogion chwareli Dyffryn Nantlle, nid un o'r
Arglwyddi, ac roedd nifer fawr ohonynt: Cloddfa Glai,
Cloddfa Goed, Tal-y-sarn, Cornwall, Dorothea (y fwyaf a'r
fwyaf proffidiol), Pen-y-Bryn, Pen-yr-Orsedd, Y Cilgwyn
(yr hynaf o bell ffordd), a nifer o rai llai eu maint.

Treuliodd fy nhad ei holl fywyd (ar wahân i'r tair
blynedd a dreuliodd yn y llynges yn ystod y Rhyfel Mawr)
yn gweithio'n galed yn nhwll Cornwall a thwll Dorothea,
lle cafodd ddamwain ddifrifol yn 1947.

Chwarelwr cyffredin ydoedd, ac fel pob chwarelwr
cyffredin arall gwaith a gwely fu ei hanes ar hyd ei oes, ar
wahân i ryw beint neu ddau – neu dri, yng ngwesty'r
Nantlle Vale ar nos Sadwrn, ac yno yn ddieithriad y
byddent yn trafod eu profiadau yn y rhyfel. Dyma oedd prif
effaith y Rhyfel Mawr ar bawb, ni allent gael gwared â'u
hatgofion. Yn llawer diweddarach, cafodd fy nhad drawiad
ar y galon ganol nos, a'i eiriau bryd hynny oedd: 'Y mae
hwn yn waeth na storm a brwydr yn y North Sea.' Cyfeirio
yr oedd at frwydr Jutland.

O'r chwareli hyn yn y dyffryn yr hudwyd, neu hyd yn
oed y bygythiwyd, bechgyn ifainc i ymuno â'r lluoedd arfog
o 1914-18, amryw ohonynt byth i ddychwelyd i'w cynefin o
feysydd gwaedlyd Ffrainc.

Pentref bychan di-nod oedd Tal-y-sarn cyn 1914, ond yn hynod ddiwylliedig, a chymuned a ymfalchïai yn y diwylliant hwnnw. Byddai eisteddfodau enwadol lleol yn cynhyrchu corau cymysg, meibion a merched; ac yr oedd yno hyd yn oed gerddorfa fechan dan arweiniad mab Hugh Owen, arweinydd y Tal-y-sarn Glee Singers, a deithiai yn rheolaidd i drefi fel Lerpwl a Manceinion i gynnal cyngherddau o safon. Brodor o Fotwnnog oedd Hugh Owen (1832-1897), a amlygodd ei hunan fel cerddor dawnus iawn gyda gwybodaeth drylwyr o elfennau cerddoriaeth. Yr oedd yno seindorf gyda'r gorau drwy Brydain dan arweiniad Tom King Sarah, a gystadlai'n rheolaidd yn erbyn bandiau gorau Lloegr. Brodor o Gernyw oedd Tom Sarah, fel eraill a ymfudodd i'n pentref o fwynfeydd Cernyw. Peiriannydd oedd wrth ei alwedigaeth, ond yr oedd yn gerddor heb ei ail, yn hunan ddysgedig, ond wedi trwytho ei hunan yn elfennau cerddoriaeth yn arbennig bandiau pres. Ef oedd tad yr enwog Mary King Sarah, cantores a berfformiai yn rheolaidd mewn cyngherddau mawreddog yn ninasoedd a threfi Lloegr. Difyr yw nodi mai Sarah oedd enw bedydd ei mam, a phan briododd â Tom, yr oedd yn berchen ar enw arbennig iawn, Sarah Sarah.

Ond yn 1914 daeth tro ar fyd. Rhwygwyd y gymuned pan gyhoeddwyd rhyfel yn erbyn yr Almaen; ac er i'r diwylliant barhau, tristwch a phryder oedd yn teyrnasu bellach, gydag ymadawiad llawer o'r bechgyn ifainc, yn wirfoddolwyr a'r rhai a orfodwyd i'r llu arfog, nifer ohonynt byth i ddychwelyd i'w hen gynefin.

Nid oedd bywyd yn hawdd i drigolion y pentref yn ystod cyfnod trychinebus y Rhyfel Mawr. Oherwydd llwyddiant ysgubol llongau tanfor y gelyn yn 1916-17 yn arbennig, yn suddo ein llongau masnach, yr oedd bwydydd yn brin, rhai wedi diflannu'n llwyr, a'r pentrefwyr o'r herwydd yn dioddef chwant bwyd. Yr oedd y sefyllfa'n waeth yn y trefi mawr, oherwydd ar lechweddau'r mynyddoedd yn Nyffryn Nantlle yr oedd llawer o chwarelwyr bychan o gorffolaeth, rhai gyda chae neu ddau a buwch neu ddwy, a byddai'r mwyafrif ohonynt yn corddi a chynhyrchu menyn ffres a llaeth enwyn, a'i werthu i'r trigolion lleol. Byddai gerddi'r chwarelwyr yn llawn o datws a ffa, riwbob a chwsberys ac afalau a chyda cymorth y llyfr dognau a roddwyd i bawb, gallai'r trigolion gadw'r blaidd o'r drws, fel petai. Ond fel y llusgai'r rhyfel ymlaen, a mwy a mwy o golledigion; ofn, hiraeth a phryder oedd yn teyrnasu. Byddai'r capeli a'r eglwysi yn ystod y rhyfel dan eu sang, a phawb yn gweddïo'n daer am ddiwedd i'r ymladd a'r colledigion. Cynhelid cyngherddau yn yr Assembly Rooms yn y pentref, ond cyngherddau 'achos da' fyddent fel arfer, i roddi cymorth ariannol i deulu a gollasai fab yn y rhyfel neu i ryw afiechyd terfynol fel silicosis.

Byddai Mam yn dweud wrthyf fel y byddai teuluoedd yn edrych ymlaen at weld y postman yn galw gydag amlen neu ddwy oddi wrth fab yn y fyddin, ac fel y byddent yn llewygu bron pan welent fachgen ar gefn beic yn cyrraedd gyda thelegram o'r Swyddfa Bost a olygai yn ddieithriad fod aelod o'r teulu wedi ei ladd rhywle ymhell oddi cartref. 'Un frân ddu daw anlwc eto' meddir, ac yr oedd gweld un hen frân hyd yn oed yn achosi ofn i lawer o bentrefwyr ofergoelus.

Nid yr un pentref oedd Tal-y-sarn cyn cyhoeddi rhyfel yn 1914 â'r pentref yn 1918. Yr oedd llawer o'r gwŷr ifainc a ymunasai â'r lluoedd arfog yn llawn brwdfrydedd, wedi dioddef profiadau annisgrifiadwy yn arbennig yn y ffosydd yn Ffrainc a Fflandrys, yng nghanol y mwd a'r llygod mawr, a siels diderfyn y gelyn yn ffrwydro o'u cwmpas ddydd a nos, gan achosi marwolaethau dychrynllyd a niweidiau andwyol. I beth? Dyna oedd y cwestiwn a ofynnent, a ble'r oedd y Duw hwnnw a bregethwyd amdano o'r pulpud bob Sul yr oeddynt mor gyfarwydd ag ef? 'Duw Cariad Yw' oedd yr adnod a adroddent yn y Seiat ar nos Fercher, ond nid oedd sôn am Dduw cariad yn y ffosydd – mewn gwirionedd, yr oedd mwy o gariad i'w deimlo wrth sefyll ochr yn ochr â chydymaith cyn mynd 'dros y top', sef dringo dros dop y ffos yn ystod ymgyrch yn erbyn y gelyn i wynebu eu gynnau a'u *machine guns*.

Problem gyntaf y milwyr hyn pan ddychwelent adref ar ôl yr 'Antur Fawr' oedd ceisio anghofio'r gorffennol agos ac ail-afael yn eu hen ffordd o fyw. Gallent hefyd droi at y 'cwrw melyn bach' i'w cynorthwyo i gael gwared â'u hofn a'u dicter – dros dro, ac yr oedd mynegi eu hofnau a'u profiadau yn gyhoeddus yn y Nantlle Vale ar nos Sadwrn yn gymorth yn ogystal. Mater o amser oedd ail-afael yn eu gorffennol chwarelyddol. Parhaent i fynychu'r capel, ond arwynebol a diystyr fyddai'r pregethau i lawer ohonynt, a'r canlyniad yn aml fyddai troi cefn ar grefydd y pulpud.

Ni fyddai fy nhad yn mynychu'r capel o gwbl; perthynai ef i'r nifer o ddynion ifanc a ddychwelsant o'r Rhyfel gyda'u profiadau erchyll. Rhagrith oedd y pregethau iddynt hwy, a disynnwyr. Dyma yn union fu fy ymateb innau pan ddychwelais adref ar ôl pedair blynedd yn yr Ail Ryfel. Byddwn yn mynychu'r gwasanaethau, ond nid oedd gwerth ynddynt o gwbl. I mi yr oedd newidiadau fyrdd wedi digwydd yn ystod fy absenoldeb. Ychydig iawn o blant fyddai'n mynychu'r Seiat a'r Band of Hope. Nid oedd dysgu ar y cof bellach yn ffasiynol. Fel fy nhad, troais innau fy nghefn ar y capel, ond nid ar grefydd. Ni fynychais gapel na llan am rai blynyddoedd, ond fe ddaeth yr alwad, ac mae fy Nghred heddiw ar dir cadarn.

I Nhad ar y llaw arall, rhagrith oedd y cyfan, a byddai'n dweud wrthyf fel y byddai dosbarth ysgol Sul o ugain a mwy o ddynion yn y Capel bob pnawn Sul, am mai Wil John Griffith oedd yr athro. Ef oedd rheolwr chwarel Dorothea, a phan fu farw, bu farw'r dosbarth hefyd. 'Cynffonwyr' oedd y disgyblion, yn ôl Nhad, yn disgwyl ffafriaeth gan yr athro. Mae'n amlwg nad oedd cyfeillion fy nhad wedi anghofio fel y byddai gweinidogion yn ystod y Rhyfel Mawr yn galw ar ddynion ifanc i ymuno â'r lluoedd arfog.

Gwahanol iawn oedd agwedd y merched tuag at eu capel a'i wasanaethau. Ar y cyfan roedd eu gweddïau hwy yn ddiffuant iawn – wedi'r cyfan, roedd y rhan fwyaf ohonynt yn famau i feibion yng nghanol y gyflafan.

Byddem ni'r plant, pan oeddem yn ifanc iawn, yn clywed cyfeiriadau cyson at y rhyfel, ac yn arbennig at y rhai a gollwyd. Hyd yn oed pan oeddwn yn ysgol y babanod, pan oeddwn ryw bedair oed, yr hyn a welwn ar y mur o'm blaen oedd ffotograff o filwr yn gorwedd ar y llawr a dryll yn ei law, yn anelu at y 'Jermans', er bod y rhyfel ar ben ers pum mlynedd, ac felly y bu hyd 1939.

Drws nesaf i ni, yn 15 Eivion Terrace, trigai hen wraig o'r enw Mrs Thomas a'i merch, a'i mab, Bob. Fel llawer llanc arall o'r dyffryn, ymaelododd Bob â'r fyddin a threuliodd ormod o amser o lawer yn y mwd a'r llygod mawr a sŵn di-baid y gynnau a siels y gelyn yn ffrwydro o'i gwmpas yn gyson ddydd a nos. Ymhen amser, anfonwyd ef adref a'i ymennydd wedi ei andwyo am byth o ganlyniad i'r brwydro a'r lladd a'r ofn.

Ni welais i Bob erioed, oherwydd fe'i hanfonwyd i ysbyty'r meddwl yn Ninbych, ac yno y treuliodd weddill ei oes. Clywais fy nhad yn cyfeirio ato lawer gwaith, a dweud wrthyf fel y byddai Bob, ar ddiwrnod chwilboeth ym Mehefin, yn dringo i gysgod dail y coed afalau a dyfai yn eu gardd, i geisio osgoi atgofion dychrynllyd a oedd yn parhau yn fyw iawn yn ei feddwl. Siel-syfrdandod meddai'r meddygon ar y pryd, *shell-shock*, ac nid oedd unrhyw driniaeth ar gael. Yr oedd o, y creadur, yn parhau i ymladd yn y ffosydd o hyd yn ei feddwl. Pan fyddwn yn cerdded adref yn y tywyllwch yn fy arddegau, byddwn yn dychmygu gweld yr hen Bob yn llechu o dan ddail y goeden afalau a'i wyneb fel y galchen.

Un arall o'r ardal a fu yn ymladd yn y Rhyfel Mawr oedd gŵr yr oeddwn yn ei alw yn 'un fraich'. Gweithiai yn y swyddfa yn chwarel Dorothea ar ôl colli ei fraich ym mrwydr y Somme yn 1916. Sicrhaodd perchennog y chwarel y byddai gwaith am byth i unrhyw aelod o'r lluoedd arfog a glwyfwyd yn ofnadwy yn y Rhyfel. Byddai cyn-filwr di-waith hefyd yn galw yn Nhal-y-sarn yn achlysurol gyda bag mawr ar ei gefn. Gwerthu te oedd o, i geisio cadw deupen llinyn ynghyd a cheisio bwydo'i deulu. Yn rhyfedd ddigon, ni fu i brofiadau'r un o'r tri wneud i mi feddwl ddwywaith ynglŷn ag ymuno â'r RAF.

Ond ni allwn anwybyddu un person arbennig iawn a anfarwolodd yr 'hogia' a laddwyd. Un a anwyd ac a fagwyd yn Nhal-y-sarn oedd o, sef y bardd R. Williams Parry. Chwarelwr oedd ei dad yntau, a'i gartref, Madog View, ar fin y ffordd ychydig lathenni o Gapel Hyfrydle. Sylwch ar ail bennill 'Y Ddôl a aeth o'r Golwg' (*Cerddi'r Gaeaf*, tud. 1), ac fe welwch mor anhapus oedd y bardd pan ddaeth Chwydfa'r Gloddfa Glai i guddio'r olygfa o'i gartref. Cyfeiriodd John Gwilym Jones ato fel ' . . . un o'n beirdd mwyaf. Tybed nad y mwyaf oll.'

Yn 1917, ymddangosodd ei Englynion Coffa enwog yn y *Welsh Outlook* pan glywodd am farwolaeth y bardd Hedd Wyn yn Ffrainc. Ond er eu poblogrwydd diamheuol, y ddwy gerdd a saif ar y brig i mi yw 'Mater Mea' (*Yr Haf a Cherddi Eraill*, tud. 100) a 'John Alfred' (tud. 105). Yn 'Mater Mea', dywed y bardd: 'Cofiai fy nghyfaill am ei gyfaill oer' – ond dros dro yn unig, a'r un modd y telynorion a 'Diwnient yn dyner ar alarus dant,' ond ymhen amser: 'A'i alaw a ddistawodd ar ei fant.' Ond yn wahanol i'r ddau uchod, y mae tristwch y fam yn hirymaros, wrth feddwl am y dwylo a'r ddwyfron lonydd yn y ffos na ddychwelent byth eto i'w gartref a chariad mam. Deuai'r soned hon i'm cof bob amser pan fyddwn yn canu emyn enwog Eben Fardd, pan ganwn 'Dim ond Iesu'. Cyfeiria yntau at fyrder cof ei deulu, a'r un modd, ei gyfeillion. I Eben Fardd a'r fam ym Mater Mea, dim ond eu Crist allai apelio atynt yn eu trallod.

Byddai fy mam yn sôn wrthyf yn achlysurol am John Alfred Griffith a drigai mewn rhesaid bach o dai ar y llechwedd ogleddol uwchben y pentref. Yr oedd ef a thad fy mam yn ffrindiau, a byddai'n galw yn weddol aml am sgwrs. Ac yr oedd hi'n cofio un gyda'r nos yn arbennig. Cyrhaeddodd John Alfred yn ei wisg filwrol a'i .303 *rifle*. Yr oedd newydd ddychwelyd adref ar ôl treulio ychydig wythnosau mewn gwersyll yn Lloegr yn darparu i fynd i Ffrainc. Bu'n gorwedd ar y llawr yn y gegin i ddangos i'r hen ŵr fel y dysgwyd hwy i gropian mor agos i'r llawr ag oedd bosib a sut i anelu'r gwn at y gelyn. Ychydig iawn o amser gafodd John Alfred i arddangos ei ddawn filwrol, oherwydd yn fuan iawn ar ôl cyrraedd Ffrainc, anfonwyd ef i'r *front line* a lladdwyd ef yn ystod ei ddiwrnod cyntaf ar faes y gad.

Nid John Alfred oedd yr unig un o bell ffordd na ddychwelodd i'w gynefin, ond mae'n amlwg fod R. Williams Parry yn ei adnabod; ac yr oedd 'colli'r hogiau' yr oedd y bardd yn eu hadnabod yn dda yn dristwch diffuant iawn iddo. Fel nifer o feirdd rhamantaidd y cyfnod, fe debygaf iddo gredu mai cof y byw am yr ymadawedig fyddai'n sicrhau eu hanfarwoldeb. Ys gwn i pwy fuasai'n cofio Hedd Wyn heddiw oni bai am yr englynion coffa?

Mewn erthygl ddiddorol gan Huw Hughes yn 'Cyfres y Meistri' (1), cyfeiria at y cyfeillgarwch cynnes a fodolai rhyngddo ef ac R. Williams Parry pan gyfarfu'r ddau yng ngwersyll Morn Hill yng Nghaer Wynt yn 1917-18. Dyma fel y disgrifia Huw Hughes un bore arbennig yn 1917:

Nid anghofiaf byth yr olwg a gefais arno'r bore Gwener cyntaf o Awst 1917. Yr oeddwn wrthi'n pedoli rhyw hen geffyl mawr, a hwnnw'n cicio pawb a phopeth o'i gwmpas. Daeth Parry i mewn i'r efail a golwg gynhyrfus arno.

'Bob annwyl, beth sydd yn bod?' meddwn wrtho.

'Dowch allan funud, Llan,' meddai. [Brodor o Lanrwst oedd Huw Hughes.]

Erbyn hyn sylwais fod deigryn yn ei lygad, a bu mudandod rhyngom am ychydig. Yna dywedodd, 'Hedd Wyn enillodd y Gadair ddoe, ac y mae o wedi ei ladd yn Ffrainc.'

Ysgwydwyd fi i'r gwraidd gan y newydd trallodus,
a dyna lle buom ein dau yn fud am ysbaid drachefn.

Dyma pryd y cyfansoddwyd yr 'Englynion Coffa' enwog. Yn ôl Huw Hughes, cyfansoddodd y tri phennill cyntaf wrth eistedd mewn capel y byddai ef a'i gyfaill yn ei fynychu, ac yr oedd wedi cwblhau'r gerdd o fewn wythnos. Cerdd elegeiog ydyw, yn debyg i'r *requiem* sy'n rhan o'r gwasanaeth crefyddol.

Y mae R. Williams Parry yn enwog am greu a defnyddio ansoddeiriau trawiadol unigryw, fel 'anhreuliedig haul Gorffennaf gwych' yn ei soned enwog 'Y Llwynog', a chawn enghreifftiau cyffelyb o'r ddawn arbennig yma yn ei englynion coffa, a grea'r awyrgylch angladdol angenrheidiol. Yr oedd llonyddwch y corff yn y bedd yn atgas ganddo.

Sylwch ar y pennill olaf yn ei gerdd goffa, 'John Alfred'.

Mae'r bachgen heini, serchog wedd
Yn *gorwedd* o dan *gŵys*,
A'i ddwy droed *lonydd* a'i ddwy law
Yn *ddistaw* ac yn *ddwys*.

Eto, ym mhennill agoriadol yr Englynion Coffa:

Y bardd *trwm* dan bridd tramor, y dwylaw
    Na *ddidolir* rhagor:
    Y llygaid *dwys* dan ddwys ddôr,
    Y llygaid *na all agor*!

Yr oedd llonyddwch marwolaeth yn wrthun iddo.

Yn 1912 galwodd yn Yr Ysgwrn i weld ei hen gyfaill Hedd Wyn, a dyna'r tro olaf i'r ddau gyfarfod. Edrychai R. Williams Parry arno fel ffrind yn ogystal â bardd a edmygai. Dyna paham yr oedd deigryn yn ei lygad pan gyfeiriodd at ei farwolaeth yn Ffrainc yn 1917 wrth ei gyfaill Huw Hughes yng ngwersyll Morn Hill, Caer Wynt. Yn sicr fe erys yr Englynion Coffa yn ein cof ni'r Cymry tra pery'r iaith Gymraeg.

Ar ôl y cadoediad ym mis Tachwedd 1918, a diwedd ar yr erchyll11tra gwaedlyd ar y cyfandir yn arbennig, cyfeiriwyd at y galanast fel 'A War to End All Wars'. Dyna yn ddi-os oedd dymuniad a gobeithion pawb ar wahân i rai cyfalafwyr efallai. Dyna yn sicr oedd dymuniad y werin bobl, ar wahân i'r miloedd rhieni a gollasai fab neu hyd yn oed ddau, na ddychwelent byth mwy i'w cymuned a'u cynefin, llawer ohonynt heb fedd i orwedd ynddo.

Yn ein hoes oleuedig ni, oes datblygiadau technegol na welwyd eu tebyg erioed o'r blaen, gwelwn ar ein teledu yng nghyfforddusrwydd ein cartrefi moethus, ffilmiau a ffilmiwyd yn y fan a'r lle yn ystod y Rhyfel Mawr, o filwyr ifainc yng nghanol mwd y ffosydd, ac yn mynd 'dros y top' i ddannedd dychrynllyd ffrwydradau'r gelyn, a channoedd ohonynt, os nad miloedd yn gyrff cyn diwedd y dydd yn gorwedd yn y llaid. Gwelwn ffilmiau o longau masnach yn suddo i'r dyfnderoedd ar ôl torpedo y llong danfor. Gwelwn enghreifftiau o fechgyn ifainc yn eu harddegau yn hedfan mewn awyrennau hynod fregus – heb barasiwt, ac yn disgyn i'r llawr yn wenfflam. Ni ddisgwylid i beilot ifanc fyw mwy na thair wythnos mewn uffern o'r fath, ond cofier, dim ond am bythefnos yn unig y disgwylid i griw bomar osgoi marwolaeth yn yr Ail Ryfel Byd.

Yn nyddiau ein hieuenctid, byddem yn clywed storïau dychrynllyd gan fechgyn o Dal-y-sarn a ddychwelodd i'w cymuned ar ôl y brwydro. Ni chlywais am neb o Dal-y-sarn yn hedfan yn y Rhyfel Mawr, y Llynges a'r fyddin oedd y prif atyniad, ond yr oedd yr ofn yn parhau, a thadau a mamau yn gweddïo na fyddai rhyfel byth mwy.

Ond ymhen un mlynedd ar hugain, yr oedd Hitler yn prysur ddarparu i sefydlu'r Almaen fel cenedl flaenllaw Ewrop, y *Master Race*, ac yr oedd corn y gad wedi ail ddeffro. '*Peace in our time*' meddai Neville Chamberlain yn 1938, ar ôl trin a thrafod gyda Hitler, ond cyfle yn unig oedd hwn mewn gwirionedd i Brydain ddarparu ar gyfer y rhyfel oedd yn sicr o ddod yn y dyfodol agos. A dyna ddigwyddodd yn 1939 – rhyfel yn erbyn yr Almaen unwaith eto.

Yn 1939 ymunodd miloedd o wŷr ifainc â'r lluoedd arfog fel gwirfoddolwyr, yr oedd yr Antur Fawr yn eu denu fel eu tadau yn 1914. Ond y tro hwn, yr oedd yr awyr mor bwysig â'r môr a'r tir. Perthynai rhyw ramant i hedfan mewn Spitfire luniaidd yn erbyn y Luftwaffe, a chredai pob llencyn ifanc mai'r gelyn oedd yn mynd i farw yn yr ornest, nid fo. Yr oeddwn i yn un o'r rheiny.

Gwyddai fy nhad mai gwastraff ar amser fyddai ceisio fy argyhoeddi fy mod yn gwneud camgymeriad dybryd, ac erfyniodd fy mam arnaf dro ar ôl tro i newid fy meddwl, ond i ddim pwrpas. Yr oeddwn am ddinistrio Hitler ar fy mhen fy hun.

Y Cyfnod Cyntaf

Ble rydw i'n cychwyn? Sut ydwyf am fynegi hanes cyfnod arbennig yn fy mywyd i ddarllenwyr nad wyf yn eu hadnabod, a'r rheiny wedi'u geni genhedlaeth neu fwy ar fy ôl i? Dyna'r broblem.

Mae'n rhyfedd fel y mae rhai digwyddiadau bach a mawr yn aros yn y cof am oes, rhai ohonynt. Erys dau ddigwyddiad o'r fath yn fy nghof ers dros saith deg o flynyddoedd, y naill yn lleol, a'r llall yn ddigwyddiad byd-eang ac yn dyngedfennol i mi.

Gadewch i mi ddechrau felly trwy ddyfynnu brawddeg agoriadol Ellis Wynne o Lasynys, yn ei glasur *Gweledigaethau'r Bardd Cwsc*. 'Ar rhyw brydnawngwaith o ha hirfelyn tesog . . . ' Dyna'r math o ddiwrnod ydoedd hwnnw ym Mehefin 1940. A minnau newydd ddathlu fy mhenblwydd yn ddwy ar bymtheg oed, yr oeddwn ar y pryd yn ddisgybl yn Ysgol Ganolraddol Pen-y-groes, Dyffryn Nantlle. Amser cinio oedd hi, ac yr oedd nifer ohonom yn y cae o flaen yr ysgol yn chwarae criced heb boeni dim am danbeidrwydd yr haul. Yr oeddwn yn bowlio i fatiwr cryf oedd yn barod i'm taro i ebargofiant ac er fy mod yn fowliwr pur gyflym ar y pryd, tarodd y bêl yn galed, ond nid ymlaen fel y bwriadai, ond yn syth i'r entrychion i lygad yr haul. Yn sefyll rhyw ugain llath oddi wrtho, ac yn disgwyl yn ddyfal i ddal y bêl, a'i ddwylo wedi'u plethu fel pe bai'n disgwyl am y bara yn y Cymun Bendigaid, yr oedd fy hen gyfaill

William Eifion Rowlands, Wil Eifs i ni oedd yn ei adnabod. Yn anffodus, oherwydd disgleirdeb yr haul, debyg, diflannodd y bêl o'i olwg, ac yn lle disgyn yn gyfforddus i'w ddwylo, disgynnodd yn syth ar ei ben. Yr oedd Wil yn fachgen hynod alluog, ond yr oeddem ni, a welodd y digwyddiad arbennig hwn, yn berffaith sicr fod Wil yn fwy galluog fyth ar ôl dweud how-di-dw wrth y bêl a'i trawodd. Ar ôl gadael yr ysgol, aeth Wil ymlaen i Brifysgol Bangor lle enillodd radd dosbarth cyntaf mewn ffiseg.

Yr oedd yr ail ddigwyddiad yn llawer mwy tyngedfennol cyn belled ag yr oeddwn i yn y cwestiwn. Rai diwrnodau yn ddiweddarach ar ôl gwrando ar Lord Haw Haw yn palu clwydau ar y radio gartref, clywais ar y newyddion fod byddinoedd yr Almaen wedi carlamu trwy Ffrainc, gwlad Belg a'r Iseldiroedd mewn byr amser, a bod ein byddin ni wedi'i chorlannu mewn lle o'r enw Dunkirk. Dyma pryd yr aeth nifer helaeth o longau bach a mawr o borthladdoedd Prydain i ganol y drin, ac achub rhai miloedd o filwyr Prydain a'u cludo'n ôl yn ddiogel i'r wlad hon. Gwyrth yn wir.

Yr oedd rhai misoedd tawel wedi mynd heibio ers y dydd Sul syfrdanol hwnnw pan glywsom lais cwynfannus Neville Chamberlain ar y radio yn cyhoeddi rhyfel yn erbyn yr Almaen. Ni fu ymladd yn Ffrainc na'r Almaen nac unlle arall a dweud y gwir, ond yn yr awyr pan wnaethpwyd ymosodiad dewr gan awyrennau Prydain ar borthladd Kiel. Yn anffodus yr oedd awyrennau'r gelyn yn llawer cyflymach, a llawer mwy ohonynt yn amddiffyn y porthladd gydag arfogaeth llawer mwy dinistriol nag oedd gan yr Ansons a'r Whitleys trwsgl oedd yn gollwng bomiau digon diniwed na achosodd ddinistr o gwbl i'r targed. Ychydig iawn o'n hawyrennau ni a ddychwelodd y diwrnodau cynnar hynny.

Yr oedd rhyfel yn enw yr oeddem ni'r bechgyn yn dra chyfarwydd ag ef. Onid oedd nifer o fechgyn Tal-y-sarn yn gorwedd dan 'bridd tramor', ac yr oedd nifer o ddynion a dderbyniodd glwyfau dychrynllyd i'w gweld yn y pentref. Nid rhywbeth i ymfalchïo ynddo ydoedd cyhoeddiad Chamberlain y dydd Sul hwnnw i'r nifer o ddynion a fu'n ffosydd Ffrainc, neu yn brwydro ar y môr, ac a ddychwelsai adref yn 1918.

Ond i ni'r llanciau ifanc, antur ydoedd a achosai'r gwaed i ferwi yn ein gwythiennau. Nid oedd neb am gael ei ladd na'i glwyfo; i fechgyn eraill y digwyddai hynny a dychwelem i'n cartrefi ar ôl ein buddugoliaeth yn arwyr yn arddangos tunelli o fedalau fel arwydd o'n dewrder. Y mae hyder yr ifainc yn anhygoel, ac nid oedd yr un Almaenwr yn mynd i achosi unrhyw niwed i mi. Nid oedd y gân a ganem yn y pedwar degau yn golygu dim chwaith. 'Fools step in where angels fear to tread.' Gwireb yn sicr.

Yn fuan iawn yn 1939, oherwydd y sefyllfa ddifrifol ym Mhrydain ar ôl galanas Dunkirk, penderfynodd y llywodraeth ddarparu ar gyfer ymosodiadau'r gelyn, a oedd yn sicr o ddigwydd ar ôl eu buddugoliaeth yn Ffrainc, a daeth yr Home Guard i fodolaeth. Yr enw cyntaf ar y gwirfoddolwyr hyn oedd LDV – *Local Defence Volunteers*. Bechgyn ifainc un ar bymtheg oed a dynion nad oeddent yn ddigon iach i ymuno â'r fyddin broffesiynol oedd yr aelodau. Fi oedd un o aelodau cyntaf Home Guard Tal-y-sarn. Nid oedd *Dad's Army* yn yr un cae â'r gwirfoddolwyr cyntaf hynny yn Nhal-y-sarn. Ni chafwyd unrhyw fath o arweiniad gan neb, ond fe benderfynodd rhywun y dylem drefnu man cyfarfod, ac fe dderbyniwyd caniatâd gan bwyllgor Seindorf Arian Dyffryn Nantlle i ddefnyddio'r Bandroom. Yn ein cyfarfod cyntaf, dewiswyd sarjant ar ôl trafodaeth boeth – y person a ddewiswyd oedd Ifan Defi (Evan Davies) a weithiai tu ôl i'r cownter yn siop grosar Rowland Williams (Siop Rolant). Nid oedd Ifan yn wahanol iawn i Sarjant Wilson yn *Dad's Army*, gŵr tawel a swil, na chawsai gyfle erioed i arwain dynion mor gegog â Home Guard Tal-y-sarn. Yr oedd nifer o'r dynion wedi bod yn y Rhyfel Mawr, ac yr oedd y pwyllgor wedi ei chael hi'n anodd dewis swyddog mor bwysig â sarjant. Rhag i ni fynd adref yn waglaw fel petai, dewiswyd Ifan am mai ef oedd y cyn-filwr (*stores*) a anfonwyd bellaf o Dal-y-sarn yn y Rhyfel Mawr, sef Palestina.

Chwarae teg, yr oedd pawb yn hynod frwdfrydig ac yn berffaith barod i ladd unrhyw Almaenwr a feiddiai osod ei draed ar dywod Dinas Dinlle. Treuliasom oriau yn drilio, drilio, drilio: *left-right, left-right* yn ddiddiwedd yn y cwt band nes oedd pawb wedi syrffedu. Yn waeth na hynny, yr oedd llais yr hen Ifan mor dawel a heb unrhyw awdurdod ynddo, fel bod pawb (ond fi) yn barod i fynd allan am smôc. Nid oedd y dynion hŷn yn y cefn yn clywed yn glir iawn beth oedd 'gorchmynion' Ifan pan alwai yn ei lais ysgafn, '*right turn, left turn, about turn*', ac yn bur aml, fe glywech ryw lais o'r cefn yn dweud, 'Be' ddiawl mae o'n ddweud dŵad?'

Syrffed yn wir yw'r unig air addas i ddisgrifio dyddiau cynnar Home Guard Tal-y-sarn, pan fyddai rhyw bymtheg ohonom yn cyfarfod yn y Bandroom i geisio dangos mor smart oeddem yn ein *left-right, left-right* diddiwedd, ac ar yr un pryd yn ceisio osgoi'r cadeiriau oedd o'n cwmpas.

Ond nid oedd ein cyfarfodydd yn syrffed llwyr chwaith. Rwy'n cofio un gyda'r nos ac Ifan bron wedi colli ei lais ar ôl y drilio. 'Steddwch i lawr bois i chi gael eich gwynt atoch,' meddai. Yn eistedd wrth fy ochr yr oedd gŵr ifanc yr oedd gennyf barch mawr iddo fel ysgolhaig, ond nid oedd gobaith iddo gael ei dderbyn i'r lluoedd arfog, oherwydd yr oedd ganddo nam drwg ar ei lygaid a'i rhwystrai rhag gweld yn bellach na blaen ei drwyn. Ar ôl cael ein 'gwynt atom', trodd ataf a thynnodd o'i boced glamp o bistol awtomatig. 'Be wyt ti'n feddwl o hwn, boi?' gofynnodd. Nid oeddwn erioed wedi gweld gwn o'r fath, a chan ei fod yn chwifio'r gwn yn ôl a blaen o flaen fy nhrwyn, yn naturiol gofynnais iddo yn gwrtais, 'Oes 'na fwledi yno fo?' 'Oes tad,' oedd yr ateb hyderus, ac anelodd y gwn at goedyn trwchus y sedd o'i flaen a thynnodd y trigger. Dyma andros o glec, ac yn hollol ddidrafferth aeth y fwled trwy'r pren trwchus, gan adael twll glân. Yn ôl rhai a welsant ac a glywsant y digwyddiad annisgwyl, aeth y fwled yn ei blaen a thrywanu clamp o offeryn Double B oedd yn hongian ar y wal. Ni welais mo'r perchennog na'i wn yn y 'sgwad' wedyn.

Rhyw wythnos yn ddiweddarach, a ninnau'n disgwyl am y gorchmynion arferol, *left-right, left-right, about turn*, bu bron i ni lewygu pan orchmynnodd Ifan ni i fynd i Gors Taldrwst. Yr oedd hon yn glamp o gors ac yn drwch o frwyn talgryf. Gorfodwyd pedwar ohonom i ymddwyn fel *paratroopers* Almaenig a chuddio yn y brwyn, ac ymhen rhyw chwarter awr byddai gweddill y 'sgwad' yn cael eu rhyddhau i chwilio amdanom. Gwasgarodd y pedwar ohonom ni a chuddio yn y brwyn trwchus – dim problem. Yn anffodus, yr oedd nifer o fechgyn bach yn chwarae 'cowbois an injuns' ym mhen pella'r gors, ac yr oeddent hwy gyda'u llygaid barcud yn gwybod yn iawn ble'r oedd y pedwar ohonom yn cuddio, ac iddynt hwy, yn eu diniweidrwydd, dynion drwg fyddai'n cuddio bob amser. A chan ddynwared cowbois da, carlamasant yn syth at Ifan mor gyflym â'r ysgyfarnogod a lechai yn y brwyn. 'Mr Ifas,' meddai'r crwtyn a arweiniai'r gang, 'os cawn ni chwarae cowbois ac Indians efo chi, mi ddywedwn ni wrthych chi ble mae'r dynion drwg na'n cuddio.' Sarjant pur siomedig ddychwelodd i'r Bandroom y noson honno.

Yn 17 Eivion Terrace yr oedd un o'm ffrindiau pennaf yn byw, sef John Selwyn Edwards, John Sêl i bawb yn y pentref. Yr oedd rai blynyddoedd yn hŷn na mi, ond O! roedd o'n gyfaill gwerth chweil. Un byr oedd o, a'i gap yn hongian ar ochr ei ben bob amser. Er ei fod yn fychan o gorffolaeth, yr oedd yn eithriadol gyhyrog, ac yr oedd wedi colli bys wrth sleisio toes ym mecws siop Rolant. Pobydd oedd o wrth ei alwedigaeth, ac yn bobydd da. Siaradai mor gyflym fel y tueddai i faglu ar draws ei eiriau yn aml mewn llais *basso profundo*, cystal â Paul Robeson unrhyw ddydd.

Yr oedd John yn aelod brwdfrydig o'r Home Guard a gorymdeithiai gyda gwn cyn daled ag yntau.

Efallai fod rhai ohonoch yn cofio'r noson honno ar ddiwedd mis Medi 1940 pan dybiwyd fod byddin o'r Almaen wedi glanio yn rhywle ym Mhrydain – nid oedd neb yn gwybod yn iawn ymhle. Ychydig fisoedd ar ôl galanas Dunkirk oedd hi.

Yr oeddwn i yn cysgu yn braf yn fy ngwely yn rhif 14 pan glywais guro dychrynllyd ar y drws ffrynt. Fy nhad agorodd y drws, ac yno yn ei lawn ogoniant yr oedd John yn ei lifrai milwrol a'i wn. 'Mae'r Jermans wedi landio,' meddai'n wyllt, 'a deudwch wrth Cled am fynd i'r caffi ar unwaith.'

Gwisgais ar frys, ac yr oeddwn yn y caffi o fewn ychydig funudau. Nid oedd neb yn gwybod o ble daeth y gorchymyn nac unrhyw gynghorion beth i'w wneud, ond am ryw reswm yr oedd pawb ohonom wedi clywed gan rywun mai yn Ninas Dinlle roedd y Jermans wedi glanio.

Y caffi oedd canolfan y pentref, ac yma yr oedd yr Home Guard wedi trefnu i gyfarfod os byddai unrhyw argyfwng. Siop sglodion a physgod oedd y caffi mewn gwirionedd ym meddiant Sadi Ifas a'i wraig, ac uwchben y siop chips yr oedd dau fwrdd biliards poblogaidd dros ben. Ond y noson arbennig honno, yr oedd yr Home Guard yn y siop chips, ynghanol arogl deniadol y bwyd a'r cynhesrwydd. Yr oedd pawb yn bresennol ond un, ac ef oedd un o'r rhai pwysicaf, oherwydd ef oedd yn gyfrifol am y *machine gun*. Nid oedd neb yn gwybod sut i drin y *machine gun*, ac nid oedd yr un ohonom wedi ei danio erioed. Yn yr un modd, er bod pob un ohonom yn cario gwn a phum bwled, nid oedd neb yn gwybod sut i osod y bwledi yn y gwn, ac nid oeddem wedi cael cyfle i danio o gwbl. Sefyllfa a achosai beth pryder rwy'n siŵr i'r Jermans oedd wedi glanio yn Ninas Dinlle!

Cyfeiriais uchod at un ddafad ddu oedd yn hwyr yn cyrraedd, sef ceidwad y *machine gun*. 'Be sy'n bod hogia,' medda fo pan gyrhaeddodd, ac meddai nifer ar draws ei gilydd, 'Ma'r Jermans wedi glanio yn Ninas Dinlle.' 'Arglwydd mawr,' meddai'r *machine gunner*, 'cadwch eich b...i gwn,' ac i ffwrdd â fo am adref a'i wely clyd.

Dan ddylanwad yr arogleuon a'r cynhesrwydd, yr oedd mwy na hanner y 'sgwad' yn chwyrnu'n braf, a neb yn meddwl mynd i wynebu'r gelyn na phoeni dim am alwad o'r pencadlys nac unman arall. Pan dorrodd y wawr, penderfynodd Ifan anfon yr aelodau allan fesul dau rhag ofn fod *parachutists* wedi glanio yn y cyffiniau. '*Attention,*' meddai, yn ei ddull dihafal ei hun, ond ni chlywodd neb y gorchymyn y tro cyntaf. Yr ail dro, deffroesant o'u trwmgwsg a grwgnach yn erbyn pawb a phopeth.

Anfonwyd John a minnau drwy'r chwareli i gyfeiriad Nantlle, a ffwrdd â ni yn y bore bach. Rhyw hanner can llath o'r caffi gwelodd John oleuni bach yn ffenestr tŷ Mrs Jones (ni allaf ei henwi rhag ofn i mi bechu yn erbyn y teulu). Ynghanol distawrwydd bendigedig y bore hwnnw, dyma'r llais *basso profundo* yn bloeddio: 'Rhowch y gola na allan,' ond ni chafodd ymateb. Yn uwch ei lais fyth, gwaeddodd: 'Rhowch y gola na allan neu mi saetha' i chi,'– ac yn wir i chi agorodd Mrs Jones y ffenestr yn ei choban nos a'i chardigan. 'Beth sydd arnoch chi'r ffŵl gwirion,' meddai, 'yn gwaeddi fel yna a phobl yn eu gwlâu. Mae'n rhaid i mi fynd i'r toilet.' 'Wel pam na wnewch chi yn y pot fel pawb arall, y glomen wirion,' oedd ateb John.

Sylweddolais yn fuan nad oedd llawer o ddyfodol i mi yn y garfan hon, oherwydd diflastod yn bennaf, ac wedi'r cyfan, yr oedd fy mryd ar hedfan gyda'r Llu Awyr. Yr oedd y dyhead hwn wedi treiddio i'm hisymwybod ers fy nyddiau cynnar yn Ysgol y Cyngor, Tal-y-sarn.

Yr oedd geneth hynod ddeallus yn fy nosbarth o'r enw Annie Jones, ac yr oedd hi yn hanner chwaer i Idwal Jones. Yn ddi-os Idwal oedd ein harwr ni'r bechgyn y dyddiau hynny, o gwmpas 1933. Yr oedd Idwal yn aelod blaenllaw o Syrcas Hedfan Alan Cobham, a deithiai drwy Brydain benbaladr i ddangos eu doniau fel peilotiaid awyrennau. Pe byddai Idwal yn y cyffiniau, byddai'n hedfan dros Ysgol Tal-y-sarn, a chwarae teg iddo, byddai'r prifathro, Mr G.

Vaughan Jones, yn rhoddi caniatâd i ni'r plant fynd allan i'r iard i weld Idwal yn perfformio *loop the loop, slow roll* a champau eraill a'n gadawai ni'r plant yn gegrwth.

Nid oeddwn yn gweld llawer o hedfan Spitfire yn yr Home Guard, a daeth fy ngyrfa fel milwr troed i ben, oherwydd fel pe bai ffawd yn fy arwain, sefydlwyd cangen o'r ATC (Air Training Corps) yn ein hysgol ym Mhen-y-groes ddechrau 1941, a minnau'n ddwy ar bymtheg oed. Mr C. H. Leonard, athro Ffiseg yr ysgol oedd yn gyfrifol am sefydlu'r gangen, sef Flight 603. Yr oedd wedi cael profiad o hedfan ar ddiwedd y Rhyfel Mawr, ac wedi ennill bathodyn ar ffurf hanner adain i ddangos ei fod yn '*Observer*' mewn awyren. Yn ei gynorthwyo yr oedd Mr T. S. (Sam) Jones, athro Cemeg yr ysgol, ac yr oedd y ddau hyn yn ddeallus, gwybodus a chydwybodol ac yn llawn brwdfrydedd. Yr oedd tua ugain ohonom yn Flight 603, nifer ohonynt yn ffrindiau mynwesol fel William John Owen o Gesarea, Ieuan Jones o Ben-y-groes, Emyr Lloyd o Garmel ac Evan Roberts, Pen-y-groes.

Oherwydd fy mhrofiad gyda'r Home Guard yn Nhal-y-sarn a'm safle fel pen-fachgen yr ysgol, fe'm penodwyd yn sarjant, a byddwn yn cael y fraint o ddrilio'r sgwad – nid fel y byddai'r hen Ifan yn ei sisial, ond mor debyg i Sarjant-Major yn y fyddin broffesiynol ag oedd bosib. Yn ogystal â'r drilio, byddai Mr Leonard yn ein dysgu sut i drin, darllen a deall Morse Code yn drylwyr, a sut i'w ddefnyddio'n ymarferol trwy anfon negesau at ein gilydd. Byddai T. S. yntau yn dangos i ni sut i ddarllen mapiau a sut i gynllunio taith ar y map o A i B, pan fyddai gwynt yn chwythu o wahanol gyfeiriadau a gwahanol gyflymderau, sef y '*triangle of velocity*'.

Penderfynais mai dyma fyddai fy nod mewn bywyd, sef treulio oes fel aelod llawn o'r RAF fel peilot Spitfire.

Dysgwyd ni sut i ddefnyddio Morse Code trwy anfon negesau i'r glust. Nifer o ddotiau a strociau oedd y Morse Code i sicrhau cyfrinachgarwch amser rhyfel, a gallai rhywun mewn perygl anfon neges a oedd yn ddealladwy i berson oedd yn gyfarwydd â'r côd. Ychydig iawn o ddefnydd a wneir o'r ddyfais heddiw, ond ar y pryd yr oedd yn bwysig ein bod yn ei dysgu. Yn 1944, byddai'r dynion radio ar yr awyrennau wrth fomio'r cronfeydd dŵr yn yr Almaen yn anfon negesau mewn côd i'r gwrandawyr yn Llundain, yn arbennig eu harweinydd, Guy Gibson.

Dysgwyd ni hefyd sut i ddefnyddio Aldis Lamp. Yr oedd yr Aldis yn eithriadol drom i'w chario ond effeithiol iawn ar adegau. Defnyddiwyd hi'n rheolaidd gan forwyr y llynges yn ystod yr Ail Ryfel Byd, a defnyddir hi heddiw i drosglwyddo negesau gweledol o long i long. Byddai milwyr traed yn gwneud defnydd ohoni hefyd, ond yr oedd yn angenrheidiol i'r person oedd yn anfon y neges wybod yn union ble'r oedd y person oedd yn derbyn y neges – o anelu'r golau i'r lle anghywir ni fuasai'r neges yn cael ei gweld.

Pa obaith oedd gan awyrennau Hitler yn fy erbyn i? Y mae hyder yr ifanc dibrofiad yn anhygoel. Wedi ymuno â Flight 603 treuliais lai a llai o amser gyda phynciau academaidd y chweched dosbarth a chanolbwyntio fwyfwy ar bynciau yn ymwneud â hedfan.

Yn gynnar un dydd Sadwrn ym mis Gorffennaf 1941, aeth Flight 603 i faes awyr Penrhos ger Pwllheli er mwyn cael profiad o hedfan go iawn. Dyma'r maes awyr a anfarwolwyd gan Saunders Lewis, Lewis Valentine a D. J.

Williams pan oedd gweithwyr yn paratoi'r maes ar gyfer darparu *navigators* a gynwyr ar gyfer ein hawyrennau trwsgl. Nid oedd meysydd awyr Llandwrog a'r Fali yn barod, a chan fod Penrhos ger Pwllheli yn brysur yn darparu criwiau awyr ar gyfer y bomwyr, cawsom ganiatâd gan Brif Swyddog y Maes Awyr i gael cipolwg ar fywyd yn y RAF a chael golwg agos ar y Whitleys a fu'n bomio'r Almaen ar ddechrau'r rhyfel. Astudio lluniau o awyrennau mewn llyfrau yn unig oeddem ni wedi ei wneud cyn hynny. Cawsom hefyd ganiatâd i hedfan yn y Whitley, i gael profiad o hedfan – ar ôl hynny, nid oedd pawb o bell ffordd yn awyddus i hedfan byth wedyn. Yn sicr yr oedd yn brofiad unigryw, hollol newydd.

Pan gyraeddasom faes awyr Penrhos y dydd Sadwrn hwnnw, rhannwyd ein Flight yn grwpiau bychain o bedwar yr un, i sicrhau y byddai pob un ohonom yn cael cyfle i hedfan mewn awyren. Roedd dau beiriant digon gwantan yn y Whitley, ac roeddwn yn amau a fyddent yn ddigon i'w chodi i'r awyr. Roedd yn anodd credu mai'r awyrennau trwm, araf a thrwsgl hyn oedd y rhai a anfonwyd i ollwng bomiau ar harbwr Kiel yn 1939. Nid oes rhyfedd fod llawer ohonynt heb ddychwelyd yn ôl i'r wlad hon. Erbyn 1941 roedd yr Halifax a'r Lancaster yn rheoli'r awyr, a'r hen Whitleys yn cael eu defnyddio ar deithiau agos i Ffrainc. Yr oedd y Wellington hefyd yn fomar dau beiriant, ac yn awyren ardderchog. Ond ni allai fynd i gyfeiriad Berlin yn hawdd iawn oherwydd y pellter.

Ar ôl cyhoeddi rhyfel a chyn Nadolig 1939, anfonwyd nifer o awyrennau bomio o'r wlad hon i achosi cymaint o ddifrod ag oedd yn bosibl i borthladd pwysig Kiel yn yr Almaen. Yr oedd gan yr Almaenwyr rai cannoedd o awyrennau yn amddiffyn y lle, gyda pheilotiaid profiadol. Yr oeddynt wedi cael digon o ymarfer drwy ollwng bomiau yn y Rhyfel Cartref yn Sbaen ac yn ddiweddarach yng ngwlad Pwyl yn 1939. Yr oedd eu hawyrennau hefyd yn llawer mwy modern – y bomwyr a'r ymladdwyr. O'u cymharu, roedd y Whitley yn hen a thrwsgl a'i hamddiffynfa yn brin iawn. Nid oedd i'w chymharu â'r Wellington a oedd yn llawer cyflymach, ond llwyth o fomiau digon tila oedd gan y ddwy. Yr oedd yr hen Whitley mor araf â malwen wrth ochr y Messerschmit 109 a'r Messerschmit 110 gyda dau beiriant a gynnau yn tanio bwledi .5mm *cal*. Ond gyda'i holl wendidau, y Whitley gyda'i dau beiriant oedd ein prif fomar, ond yn waeth na hynny, nid oedd ond ychydig ohonynt.

Ffoliineb oedd anfon Whitleys i fomio Kiel yn ystod y dydd yn erbyn awyrennau'r gelyn a'r gynnau gwrthawyrennol o'r llawr, ac fel y disgwyliech, ychydig iawn ohonynt a ddychwelodd yn ôl i Brydain. Ymddengys mai ychydig yn unig o fomiau'r Whitleys a laniodd yn ymyl y targed, ac ni achoswyd unrhyw bryder i amddiffynfeydd yr Almaenwyr y diwrnod dychrynllyd hwnnw.

Yn ddiweddarach, ymddangosodd mwy a mwy o Wellingtons ac yn arbennig y Lancasters a'r Halifaxes gyda'u pedwar peiriant a llwyth aruthrol o fomiau treiddgar.

Ond yn ôl i Faes Awyr Penrhos. Profiad hollol ddieithr i ni oedd hedfan mewn Whitley, a golygfa hollol newydd a welem wrth deithio i gyfeiriad Cwm Dulyn rhyw fil o droedfeddi yn yr awyr. Gwelsom y peilot wrth ei waith yn agor y ddwy *throttle* a'r hen Whitley yn cyflymu ar draws y maes awyr cyn codi i'r awyr. Cawsom gyfle wedyn i edrych o'n cwmpas a gweld mangreoedd a oedd yn hen gyfarwydd i ni. Anelodd y peilot yr awyren yn syth am Gwm Dulyn, a chan ei bod yn ddiwrnod delfrydol i hedfan, ymddangosai popeth oddi tanom yn berffaith glir. Gorfu i'r peilot godi'r awyren dros gopa Cwm Dulyn, a gwelsom am y tro cyntaf erioed, ddyffryn ein magwraeth o'r awyr.

Oherwydd ei fod yn ddiwrnod hafaidd a gwresog, yr oeddem yn disgwyl y cynnwrf hwnnw sy'n gysylltiedig â gwres y dydd, a disgwyl i'r hen awyren gael ei thaflu i fyny ac i lawr, sef y *turbulence* bondigrybwyll. Ond na. Treiddiai drwy'r awyr yn hollol lyfn, ac o'r herwydd, roedd hon yn siwrnai hudolus wrth i ni edrych ar y llynnoedd yr oeddem mor gyfarwydd â nhw – Llyn y Gadair, Llyn y Dywarchen a Llyn Nantlle yn ei lawn ogoniant. Gwelem afon Llyfni yn treiglo'n dawel i gyfeiriad y môr ger Pontllyfni, gwelem yn glir effaith y Chwyldro Diwydiannol ar y dyffryn wrth edrych i lawr ar chwarel Dorothea, Cornwall, Gallt y Fedw, Blaen Cae a'r Gloddfa Glai a'r Gloddfa Goed. Gwelem bentrefi bach Drws-y-coed, Baladeulyn, Nantlle, Tal-y-sarn, Pen-y-groes a phentref hynafol Llanllyfni, ac yng nghysgod yr Eifl, pentref hynafol y pererinion, Clynnog Fawr. Dyffryn annwyl hud a lledrith, chwedlau'r Mabinogi yn ddi-os.

Daeth chwedl y bedwaredd gainc yn fyw iawn i'r cof. Gwelem fferm Dôl Pebin oddi tanom, ac yn ein dychymyg gwelem:

... gwartheg gwyrthiol Pebin
    Yn eu cynefin hwy.
        (R. Williams Parry, *Cerddi'r Gaeaf*)

Meddyliem am Goewin, merch Pebin sef (y) 'forwyn oedd gyda Math yn wastad', a gwelem fferm Bryn Gwydion yng nghysgod mur stad Glynllifon, fferm a enwyd ar ôl y dewin Gwydion a fabwysiadodd Lleu a'i feithrin; yna'r môr, a'r strimyn glân o dywod yn Ninas Dinlle, lle trigai Arianrhod, mam Lleu. Yr oedd y golygfeydd hyn yn gwau drwy'r meddwl wrth i ni hedfan dros yr hen ddyffryn, ac yn rhy gyflym o lawer, trodd trwyn yr awyren yn ôl i gyfeiriad Penrhos a Llŷn a glanio'n llyfn ar y maes awyr yno.

Bu'r profiadau hyn yn destun siarad i ni, aelodau 603, am ddiwrnodau lawer, a gallaf ddweud yn bendant mai'r teimlad arallfydol hwn o hedfan am y tro cyntaf a flagurodd yr had a blannwyd flynyddoedd yn ôl gan Idwal. Y RAF oedd fy mhrif nod, a dim arall.

Ar ôl Brwydr Prydain yn 1940 rhwng y Spitfires a'r Hurricanes ar y naill law, a'r Luftwaffe ar y llaw arall, gorfu i luoedd Goering, ar ôl colledion enbyd, gilio'n ôl i'r meysydd awyr yn Ffrainc, ac anfon eu hawyrennau gyda thunelli o fomiau ffrwydrol, i ddinistrio porthladdoedd fel Lerpwl, Llundain ac Abertawe, ac ar yr un pryd, ladd rhai miloedd o'r trigolion yn wragedd a phlant. Digwyddai hyn yn y nos – bob nos, a byddwn yn gorwedd yn fy ngwely yn gwrando ar rwnian diddiwedd yr awyrennau hyn yn teithio i gyfeiriad Lerpwl a bomio nid yn unig y porthladd, ond cartrefi pobl ddiniwed. Dioddefodd Lerpwl yn enbyd bryd hynny, a byddem fel teulu yn pryderu am Annie, chwaer fy mam, a'i theulu oedd yn byw yn y ddinas. Ymhen rhyw awr, byddwn yn clywed sŵn yr awyrennau yn dychwelyd ar ôl gollwng eu bomiau dinistriol. Byddai hyn yn fy

Fi yn fy iwnifform, 1944

Dyffryn Nantlle a'r Wyddfa

Cyfeiriais at ymweliad Flight 603 ATC Pen-y-groes â maes awyr Penrhos ger Pwllheli yn 1941. Yn ystod ein harhosiad, cawsom gyfle i hedfan mewn Whitley, bomar dau beiriant. Gan ei fod yn hedfan yn bur isel i gyfeiriad mynydd Cwm Dulyn, gorfu iddo ddringo dros gopa'r mynydd, nes gwelsom oddi tanom am y tro cyntaf erioed, ddyffryn ein maboed yn ei holl ogoniant.

Tynnwyd y ffotograff gyferbyn ddechrau chwe degau'r ganrif olaf gan Aero Films and Aero Pictures. Dewisais y ffotograff du a gwyn hwn, oherwydd yn saith degau'r ganrif honno, byrlymwyd miliynau o dunelli o sbwriel llechi i dwll y Gloddfa Goed yn ardal Tal-y-sarn, a thrawsnewid yr hen domeni llechi yr oeddem ni'r plant mor hoff ohonynt. Y mae'r olygfa o gwmpas Tal-y-sarn heddiw yn wahanol iawn i'r hyn ydoedd pan oeddem ni'n blant yn chwarae arnynt.

1. Yr Wyddfa
2. Mynydd y Garn
3. Mynydd Mawr neu Mynydd Grug
4. Mynydd Talymignedd
5. Llechwedd Mynydd Cwm Silyn
6. Llyn Uchaf Nantlle
7. Rhan o lyn chwarel y Gloddfa Glai
8. Rhan o Chwarel Cornwal
9. Afon Llyfni; (9) Rhan o ffarm Dôl Pebin
10. Cymffyrch a Chwarel Gwernoer
11. Y Ffordd Newydd o Dal-y-sarn i Nantlle

Dyma ffotograff o Ddyffryn Nantlle a dynnwyd ar ddiwedd naw degau'r ganrif olaf gan fy hen gyfaill Arfon Jones, un o'r peilotiaid cyntaf i hedfan y 'jets' ar ddiwedd yr Ail Ryfel Byd. Y mae hwn yn ffotograff llawer cliriach na'r un a dynnwyd ar ddechrau'r chwe degau.

1. Yr Wyddfa
2. Mynydd y Garn
3. Mynydd Mawr neu Mynydd Grug
4. Mynydd Talymignedd
5. Llechwedd Mynydd Cwm Silyn
6. Llyn Uchaf Nantlle
7. Tyllau Chwareli Gloddfa Goed a'r Gloddfa Glai
8. Twll Chwarel Cornwal
9. Afon Llyfni
10. Tomeni Rwbel Chwarel Dorothea
11. Cymffyrch a Chwarel Gwernoer
12. Twll Chwarel Dorothea
13. Twll mawr Tal-y-sarn
14. Gweddillion sbwriel Chwarel Tal-y-sarn yn bennaf
15. Y Ffordd Newydd o Dal-y-sarn i Nantlle a thu hwnt
16. Yr hen ffordd i Nantlle
17. Pen dwyreiniol pentref Tal-y-sarn

Tywalltwyd miloedd ar filoedd o dunelli o sbwriel Chwarel Tal-y-sarn i dwll chwarel Gloddfa Goed yn y saith degau. Y mae'r rhan yma o'r Dyffryn yn llawer gwahanol i'r olygfa welwn i pan oeddwn i'n blentyn.

Dyma'r grŵp etholedig ym Mhrifysgol Manceinion. Yr wyf fi yn y rhes gyntaf ar y pen ar y dde, gyda Bill Holt wrth fy ochr. Ebrill 1942.

Dyma ffotograff a dynnwyd yn Miami yn 1942 o'm hyfforddwr cyntaf. Pitts oedd ei enw. Yr oedd yn beilot ardderchog, ond yr oedd ganddo un gwendid anfaddeuol – yr oedd yn rhy hoff o hedfan cyn ised i'r llawr ag y gallai ar adegau, a dyma fu'n gyfrifol am ei ddamwain angheuol. Yn anffodus, yr oedd dysgwr gydag ef yn yr awyren ar y pryd, ac fe'i lladdwyd yntau. Yr oedd Pitts yn anllythrennog - gallai ysgrifennu ei enw a dyna'r cwbl.

Yn yr ail ffotograff, gwelwn weddillion yr AT6 ar ôl y ddamwain.

Maes awyr cynorthwyol (auxiliary) lle byddem yn treulio oriau yn y PT19 yn ymarfer circuit and bumps. Dyma lle lladdwyd 'Taffy' Jones o Bontypridd – y cyntaf o'n criw i gael ei ladd.

Y Wellington

Yr orymdaith olaf cyn ffarwelio. Yr ydym wedi derbyn ein
'wings', a thair streipen i ddangos ein bod yn awr yn 'Sergeant
Pilots'.

Dyma'r PT19. Yr oedd yn awyren wahanol iawn i'r Tiger Moth
yr oeddem yn gyfarwydd â hi. Monoplane yw hon, gydag un
adain, ac yr oedd yn llawer mwy pwerus na'r hen Diger.

41

Dyma'r De Havilland Tiger Moth

Bomar Halifax
Cynlluniwyd ac adeiladwyd dros 700 ohonynt gan Handley Page

Yr Harvard. Awyren o'r America a ddefyddiwyd ym Mhrydain i hyfforddi peilotiaid awyrennau ymladd.

Cynlluniwyd a phlaniwyd y Mosquito yn 1938, yn bennaf fel awyren ragwylio (Recconnaisance), i hedfan mor uchel ac mor gyflym fel na allai unrhyw arfogaeth amddiffynnol ei chyffwrdd, sylweddolwyd yn 1940 gan Havilland y gellid datblygu'r awyren hon fel un o'r goreuon o'i bath. Yr oedd wedi ei hadeiladu o goed, gyda dau beiriant Rolls Royce, a gellid ei thrin fel awyren un peiriant fel y Spitfire neu Hurricane. Yr oedd ei chyflymder yn anhygoel y pryd hynny, sef 400 milltir yr awr. Y Mosquito fyddai'n gollwng goleuadau llachar ar y targed cyn i'r bomwyr a oedd yn eu dilyn gyrraedd. Y rhain oedd y 'Pathfinders'.

Wing Commander H. A. Roxburgh, Prif Swyddog y RAF yn ystod ein cyfnod ni yn Miami. Yr oedd ef wedi bod yn aelod o Syrcas Hedfan Allan Cobham, ac yn gyfaill mynwesol i Idwal Jones o Dal-y-sarn a laddwyd yn 1936. Yr oedd yn beilot profiadol iawn, a phedair blynedd ar ddeg o brofiad, ac wedi treulio dros 5,000 o oriau yn hedfan. Gwobrwywyd ef gyda'r AFC (Air Force Cross) am gyfraniad ei wasanaeth gwych.

Archibald McIndoe (1900-60) Bu'r anfarwol McIndoe farw yn ifanc ar ôl gorweithio yn ei ysbyty yn ystod y Rhyfel. Creodd fywyd newydd i gannoedd o awyrenwyr a dderbyniasai losgfeydd difrifol i'w wynebau a'u dwylo yn arbennig.

Tynnwyd y ffotograff unigryw uchod gan Hefin Williams, cyfaill
a chyn-ddisgybl o Ysgol Bechgyn Friars. Yr oedd ef yn hedfan
mewn hofrennydd yn ddiweddar pan ymddangosodd y ddwy
awyren yn bur agos iddynt. Dyma'r Spitfire a'r Hurricane a fu'n
gyfrifol i raddau helaeth am orchfygu awyrennau'r gelyn yn
1940. Yr oedd y Spitfire yn hynod boblogaidd gan y cyhoedd ac
aelodau o'r lluoedd arfog (ac y mae o hyd), oherwydd ei ffurf
luniaidd, ond yr Hurricane oedd y fwyaf effeithiol yn 1940 trwy
ddinistrio llawer mwy o awyrennau'r gelyn.
Ychydig iawn, iawn o'r rhain sydd yn hedfan bellach, ac y
mae gweld y ddwy gyda'i gilydd ac mor agos yn gredyd i
fedrusrwydd y ffotograffydd.

Pan ymddangosodd y Fairye Battle yn yr awyr am y tro cyntaf, yr oedd yn amlwg bod ei chynllun gam mawr ymlaen yn y byd eronotig. Monoplane oedd y Fairey Battle. Gallai hi gludo 1,000 pwys o fomiau am fil o filltiroedd gyda chyflymder o 220 mya. Cynlluniwyd hi ar gyfer criw o dri, sef peilot, bom-anelwr/ gwyliadwr a dyn radio/gynwr. Ond gwan oedd ei hamddiffynfa yn erbyn gynnau pwerus y Messerschmit 109. Dinistriwyd llawer ohonynt ar ddechrau'r rhyfel, rhwng 1939/40, ac yn fuan iawn defnyddiwyd fel awyren hyfforddi yn unig.

Yr AT6 wedi ei chuddliwio i osgoi awyrennau Almaenig

Erodrom Miami, Oklahoma

'Daeth awr i fynd i'th weryd,
A daeth i ben deithio byd.'
Gwasanaeth Coffa ym Miami

Ysbyty Cosford fel yr oedd yn fy nghyfnod i. Erbyn hyn nid oes
sôn amdani – daeth ei hoes i ben yn 1980.

nghynddeiriogi a'm gwneud yn fwy penderfynol fyth i ymuno â'r Llu Awyr, a hynny cyn gynted ag oedd bosibl.

O'r herwydd, yr oedd Flight 603 yn rhoddi mwy a mwy o foddhad i mi a'm cyd-aelodau, ac un rheswm am hyn oedd brwdfrydedd y ddau athro, C. H. Leonard a T. S. Jones, yn trefnu gweithgareddau amrywiol ar ein cyfer.

Pennaeth adran Ffiseg yr Ysgol Ramadeg ym Mhen-y-groes oedd C. H. Leonard, a brodor o ardal glo caled yng nghyffiniau Abertawe – a chan mai Saesneg oedd iaith yr ysgol, ni wyddwn mai Cymraeg oedd ei famiaith. Byddai'n gwisgo fel pin mewn papur bob amser, ac yr oedd yn esiampl i ni'r rapsgaliwns. Yr oedd yn gerddor dawnus ac ef oedd arweinydd Côr Meibion Dyffryn Nantlle am bron hanner can mlynedd – côr enwog iawn yn ei ddydd. Cefais y fraint o fod yn aelod o'r côr pan benodwyd fi yn athro yn yr ysgol yn 1949, a bûm yn aelod am ddeuddeng mlynedd. Mwynheais y canu a'i ddewis o ganeuon yn fawr iawn, a dysgais lawer am gerddoriaeth wrth draed y Gamaliel hwn. Ef hefyd oedd yn gyfrifol am ymarfer corff yn yr ysgol. Yn ei ddyddiau cynnar fel athro ffiseg, byddai'n ysgrifennu erthyglau yn Gymraeg ar gyfer cylchgronau gwyddonol.

Roedd T. S., neu Sam, Jones yn gyfaill mynwesol i C. H., yntau o ardal lofaol yn y de, ac yn athro Cemeg ardderchog. Ni chlywais ef erioed yn defnyddio'r Gymraeg, ond y Gymraeg oedd ei famiaith yntau. Treuliodd ei holl yrfa fel athro ym Mhen-y-groes fel C. H. ond wedi ymddeol dychwelodd i'w gynefin yn y de, ac yn ôl at ei famiaith. Pan sefydlwyd Flight 603 yr ATC yn yr ysgol, ef fyddai yn ein hyfforddi mewn *navigation*. Bu ei wersi o fantais aruthrol i mi yn ddiweddarach yn y RAF.

Un nos Wener yng Ngorffennaf 1941, aeth tri ohonom

yng nghar Mr Leonard i lechwedd deheuol Cwm Dulyn, ac wedi gadael y car wrth droed y mynydd, dringasom yr holl ffordd i'r copa, gan gludo lamp Aldis drom a batri trymach yr holl ffordd. Y bwriad oedd anfon negesau o gopa Cwm Dulyn i weddill y *Flight* a ddisgwyliai amdanynt yn y cae o flaen yr ysgol ym Mhen-y-groes, ond ar ôl yr holl ymdrech, methiant fu'r arbrawf. Mae'n amlwg nad oeddem yn anelu goleuni'r Aldis yn ddigon cywrain – Duw a ŵyr pwy gafodd ein neges mewn gwirionedd! Ond nid oedd hynny o bwys, oherwydd dysgodd profiad o'r fath sut ddylem dderbyn methiant a siom yn ddirwgnach. Yr oedd yn brofiad newydd i ni, a gwyddem y byddai mwy o gyfleoedd cyffelyb yn y dyfodol a chanlyniadau mwy derbyniol.

Yr Ail Gyfnod

Ar ddiwedd Gorffennaf 1941, a phawb yn edrych ymlaen at wyliau'r haf, tristwch i mi oedd ffarwelio â'r hen ysgol ar ôl saith mlynedd o benrhyddid a mwynhad. Nid oeddwn yn gwybod chwaith y byddai hwn yn fis tyngedfennol yn fy hanes. Er fy mod wedi rhoddi fy mryd ar hedfan yn y Llu Awyr, nid oeddwn yn sicr o bell ffordd beth oedd y cam nesaf. Ond fel pe bai ffawd yn fy arwain, galwodd Mr Leonard arnaf un bore, a dweud ei fod wedi derbyn llythyr o bencadlys y RAF yn gofyn iddo am enwau rhai o aelodau Flight 603 a oedd, yn ei dyb ef, yn addas ac yn awyddus i ddilyn cwrs pellach, dan nawdd yr awyrlu, i'w darparu i fod yn swyddogion ymhellach ymlaen yn eu gyrfa. Ymddengys fod hwn yn gwrs arbennig iawn, yn cychwyn gyda chyfnod o chwe mis mewn Prifysgol. Dewiswyd tri ohonom gan C. H. Leonard i wneud cais am y cwrs, oherwydd ein brwdfrydedd. Fy hen gyfaill Wil John o Cesarea oedd un, a'r llall oedd Ieuan Hughes o Ben-y-groes – a minnau. Chwarelwr cyffredin oedd tad Wil fel fy nhad innau, ond yr oedd tad Ieuan un dosbarth yn uwch, ef oedd goruchwyliwr siop y Co-op ym Mhen-y-groes; '*white collar worker*' yn ôl yr undebau llafur. Dynion a wisgai drowsus melfaréd, siaced liain, crys gwlanen a chap ar ochr y pen oedd tadau Wil a minnau. Cymraeg oedd ein mamiaith, ein hiaith bob dydd, ar wahân i'r Saesneg digon trwsgwl a siaradem gyda'n hathrawon yn y dosbarth, er mai Cymry

Cymraeg oedd y mwyafrif ohonynt hwythau. Cymraeg oedd yr iaith a ddefnyddiem yn y Gwasanaeth Boreol ar ddechrau'r diwrnod, ac yn y dosbarth Cymraeg wrth gwrs. Yr oedd y Pwyllgor Addysg bondigrybwyll yn parhau i ddilyn cyngor Syr Hugh Owen, gyda'r pwyslais ar yr iaith Saesneg. Dyna oedd y polisi.

Tŷ cyffredin mewn rhesaid o dai cyffelyb eu hadeiladwaith oedd ein tŷ ni, 14 Eivion Terrace, gyda dwy ystafell wely, parlwr a'i ddrws wedi cau y rhan fwyaf o'r amser, ac yn agored ar amgylchiadau arbennig yn unig. Yr oedd yno gegin fechan, glyd, lle byddem yn bwyta ein prydau bwyd, ac yn ymlacio gyda'r nos o flaen tanllwyth o dân yn y gaeaf. Byddai fy nhad yn pendwmpian gyda'r nos ar ôl gweithio'n galed yn y chwarel drwy'r dydd; mam fel rheol yn gwnïo a minnau wrth y bwrdd yn cwblhau fy ngwaith cartref. Yr oedd yno gegin fach hefyd lle byddai'r mangl yn rhuo ar ôl i Mam orffen golchi llond twb o ddillad, allan yn yr awyr agored. Nid oedd yno foethusrwydd materol, ond yr oedd yno foethusrwydd cariad tad a mam a oedd yn amhrisiadwy. Cartref tebyg iawn oedd un Wil hefyd mewn gwirionedd, ond efallai fod ychydig mwy o'r moethusrwydd materol hwnnw y cyfeiriais ato yng nghartref Ieuan.

Hoffwn ddweud gair am fy rhieni. John Owen Jones oedd enw bedydd fy nhad, ond Jac Anne Jôs oedd o i'w ffrindiau a'i gydnabod. Anne Jôs oedd ei fam wrth gwrs, gwraig a ddylanwadodd yn drwm arnaf yn arbennig yn fy nyddiau cynnar. Ond pan fyddai Jac ei mab yn mynd am beint i'r Red Lion ym Mhen-y-groes (er mai pur anaml fyddai hynny), Jack the Sailor oedd o bryd hynny, oherwydd Saesnes oedd perchennog y dafarn honno.

Fel y soniais ynghynt, chwarelwr cyffredin oedd fy nhad, yn gweithio'n galed. Yr oedd yn ddyn golygus, cyhyrog, ac yn cerdded mor syth â brwynen bob amser. Yr oedd gennyf feddwl y byd ohono. Byddai'n adrodd straeon wrthyf o flaen y tân yn y gaeaf, llawer ohonynt yn llawn hiwmor, yn arbennig y straeon hynny am ei blentyndod. I mi yr oedd yn arwr – wedi'r cyfan, yr oedd wedi bod yn taflu tunelli o lo i foeleri *HMS Caroline* ym mrwydr Jutland. Prin iawn oedd cyflog chwarelwr cyffredin, ac er ei fod yn hoff o'i beint, dim ond ar nos Sadwrn y gallai fforddio ymuno â'i gyfeillion yn y Nantlle Vale Hotel. Yr oedd o a finna'n fêts, a gwnaeth ei orau glas i newid fy meddwl rhag mynd i'r rhyfel. Yr oedd ei Saesneg llafar yn brin iawn, a'i Saesneg ysgrifenedig yn anobeithiol. Treuliai ei fore Sadwrn yn eistedd allan yn y cefn yn hollti coed ar gyfer coed tân, a gwelaf ef y funud 'ma gyda'i gap ar ochr ei ben yn hollti'r coed yn gelfydd gyda chŷn a morthwyl.

Ar ôl gorffen yn y RAF treuliwn oriau yn saethu cwningod a'u gwerthu am swllt yr un. Dyma sut y llwyddais i brynu fy llyfrau cyntaf i fynd i'r coleg. Byddai fy nhad gyda mi, i gario'r cwningod, ac wedi i mi fynd i'r coleg, penderfynodd yntau ddefnyddio'r gwn dwy faril i saethu ysgyfarnogod yng Nghors Taldrwst. Yn anffodus, nid oedd ganddo syniad sut i ddefnyddio gwn, a dweud y gwir yr oedd yn beryg bywyd. Aeth i'r gors un gyda'r nos gyda'i fêt Dic John drws nesa, a phan neidiodd ysgyfarnog o'i wâl, yn lle ceisio'i saethu, taflodd y gwn ar lawr a dechrau rhedeg ar ôl y 'sgwarnog. Bu farw yn ifanc yn 67 mlwydd oed.

Mam ydy mam, ac nid oes dim byd tebyg i fam ar wyneb daear Duw. Merch i chwarelwr oedd hithau, ac fel pob gwraig arall yn y pentref, gwraig tŷ a mam fu hi ar hyd ei hoes. Kate Jones oedd ei henw bedydd, ond Aunty Kate oedd hi i blant y fro.

Wedi i Nhad fynd yn y tywyllwch i gyfeiriad y chwarel, byddwn yn eistedd ar lin Mam, a byddai'n canu i mi'r hen ganeuon gwerin. Rwy'n ei chofio'n canu i mi, yn ddramatig o gwmpas y Nadolig, 'Pwy sy'n dŵad dros y bryn . . . ' a minnau'n gegrwth yn disgwyl clywed Siôn Corn yn y simdde. Dyddiau diniwed, hynod ddifyr a bythgofiadwy.

A minnau tua phedair oed, dysgodd y gân 'Ble'r ei di yr hen dderyn bach, I nythu fry ar y goeden,' i mi, ac euthum i gystadlu yn Eisteddfod Capel Llanllyfni o dan chwech oed. Enillais y wobr gyntaf, ynghyd â deg cystadleuydd arall. Chwe cheiniog a rhuban glas.

Llais alto oedd ganddi a byddai wrth ei bodd yn ei morio hi mewn Cymanfa Ganu neu unrhyw ganu cynulleidfaol. Byddai'n treulio oriau yn darparu plant ar gyfer eisteddfodau, ac yn bur llwyddiannus hefyd. Yr oedd yn wraig hynod garedig, a sicrhâi na fyddai fy nhad na finnau yn dioddef mewn unrhyw ffordd. Byddai clamp o 'fwyd caniad' yn barod erbyn tua phump o'r gloch bob gyda'r nos. Ffefryn fy nhad fyddai sglodion tatws wedi'u ffrio ar y tân, a bacwn a dau wy, ac wedyn pwdin reis. Does ryfedd ei fod yn pwyso tua 16 stôn yn ei bedwar degau. Nid oedd dim cystal â bwyd wedi'i goginio yn yr hen bopty mawr. Gweithiai hithau mor galed â'i gŵr.

Roedd fy nhad hefyd yn dipyn o ganwr, gyda llais bâs swynol iawn, a byddai'r ddau yn mwynhau canu emynau'r 'Detholiad' ar nos Sul, a minnau fel rhyw jac-do yn ceisio'u dilyn. Yr oeddwn, ac yr ydwyf yn parhau i garu Mam yn angerddol. Ni chefais gyfaill mwy triw erioed.

Yr wyf yn cyfeirio at ein cefndir i ddangos mor uchelgeisiol oeddem ein tri ar gychwyn i'r cwrs hyfforddi, a llawn hyder. Yr oeddem yn bwriadu cyrraedd y nod fel petai, i fod yn swyddogion yn y lluoedd arfog. Nid oedd fy nhad yn deall uchelgais o'r fath. Treuliasai ef rai blynyddoedd yn y llynges yn ystod y Rhyfel Mawr ar *destroyer* o'r enw *HMS Caroline*, fel taniwr yng nghrombil y llong, yn rhawio tunelli o lo i'r boeleri i sicrhau cyflymdra'r llong. Llongwr cyffredin ydoedd, yn chwysu ym mherfedd y llong, ac ni feddyliodd erioed am fod yn swyddog. Yr oedd o'n hen gyfarwydd â'r drefn gymdeithasol o 'ni' a 'nhw', ac yr oedd yn berffaith hapus. Nid mab a ddarparai i fod yn swyddog yn y Llu Awyr oedd yn bwysig iddo ef ar y pryd, ond yn hytrach bod ei fab yn mynd i'r rhyfel i wynebu'r un peryglon yr oedd ef mor gyfarwydd â nhw. Yn ôl Mam, wylodd yn hidl pan euthum oddi cartref yn fy iwnifform, a chofiai'r colledion erchyll ar ddiwedd y Rhyfel Mawr. Ni wyddwn ddim am ei dristwch nes dychwelais adref yn 1945.

Yn 1941, yr oedd yr 'Antur Fawr' yn fy nenu fwyfwy, a'r dyhead i hedfan mor gryf ag erioed. Yr oedd y cyw ar fin hedfan o'r nyth, ac yn barod i ffarwelio â thad a mam, cartref cariadus, perthnasau a ffrindiau; ac yn arbennig yr hen Gapel Mawr a fuasai'n ail gartref i mi ar hyd fy oes, ac a blannodd ynof ffordd o fyw a fu o werth amhrisiadwy i mi trwy gyfnod y rhyfel. Yr oedd y sail foesol gadarn a dderbyniais wedi treiddio i'm hisymwybod ac fe fu'n gymorth mawr i mi. Bu'r Testament Newydd a dderbyniais gan yr aelodau ar fy ymadawiad o werth amhrisiadwy i mi mewn cyfnodau o ofn anhygoel. 'Cymorth i'w gael mewn cyfyngder,' ydoedd yn sicr.

Ddiwedd Gorffennaf 1941 (nid wyf yn sicr o'r dyddiad, oherwydd aeth saith deg o flynyddoedd heibio ers y cyfnod hwnnw), derbyniodd y tri ohonom lythyr o'r pencadlys yn cynnwys tocyn rheilffordd dwy ffordd i Warrington a gwahoddiad i ymddangos o flaen panel o swyddogion am gyfweliad ar ddyddiad arbennig ym mis Awst. Nid oedd gennyf syniad lle'r oedd Warrington, ond clywswn Mam yn sôn wrthyf un tro am ryw fodryb iddi a drigai yn y lle. Y mae fy nghof o'r siwrnai i Warrington yn niwlog iawn, ond mae'n rhaid ein bod wedi cychwyn o Stesion Pen-y-groes yn gynnar yn y bore, ac wedi cael rhyw fath o gludiad o stesion Warrington i'r gwersyll anferth a adeiladwyd ar fin y dref. Tref ddiwydiannol oedd Warrington ar y pryd, gyda llawer o ffatrïoedd a chyrn tal yn chwydu mwg ddydd a nos gan gynhyrchu arogl drewllyd. Pan gyraeddasom y gwersyll, yr oedd yno rai cannoedd o wŷr a merched ifainc, nid 'yn eu gynau gwynion' ond pawb yn gwisgo siwt las y RAF. Y mae'n amlwg mai gwersyll gweinyddol oedd hwn, ac yr oedd yn amlwg oddi wrth brysurdeb y bobol o gwmpas, bod digonedd o waith gweinyddu ar ein cyfer.

Cawsom brydau bwyd blasus, a digon ohono, er bod poblogaeth Prydain yn dioddef prinder bwyd difrifol yn 1941. A dweud y gwir yr oedd y tri ohonom fel 'defaid colledig' yng nghanol dwndwr y gwersyll. Ond gwyddem y byddai'r diwrnod canlynol yn brysur a chyffrous iawn.

Fel y disgwyliech, noson o 'gwsg ni ddaw i'm hamrant heno' oedd hi, yn troi a throsi gyda'r cyfweliad tyngedfennol ar ein meddwl yn achosi mwy a mwy o bryder i ni. Ar ben hynny, yr oedd y gwely'n galed a'r gobennydd sengl yn galetach, ac yn wahanol iawn i'm gwely gartref.

Ar ôl brecwast blasus, clywsom ein bod i gael archwiliad

trwyadl gan nifer o feddygon a oedd yn arbenigwyr yn eu maes arbennig, rhai yn archwilio'r llygaid a'r clustiau, eraill yn archwilio'r galon a'r ysgyfaint a rhannau eraill o'r corff nad oedd neb wedi eu gweld ar wahân i Mam pan fyddai yn fy ngosod yn y twb golchi o flaen y tân ar nos Wener. Gofynnodd un arall i mi a oeddwn yn dioddef o unrhyw glwy' rhywiol, cwestiwn oedd yn hollol annealladwy i mi. Pan glywais y geiriau *syphilis* a *gonorrea* – ac eraill, nid oeddwn yn siŵr ai cyfeirio yr oedd at rywbeth i'w fwyta, ond chwarae teg iddo, sylweddolodd mor ddiniwed a dibrofiad oeddwn. Pan glywais ei eglurhad, nid oeddwn yn gwybod am neb yn Nhal-y-sarn oedd yn derbyn triniaeth feddygol i gael gwared ag afiechydon o'r fath. Daeth yr archwiliad hir i ben, ac anfonwyd ni i'r Nissen Hut anferth am ginio – ac yr oedd y tri ohonom yn barod i'w lowcio.

Ar ôl cinio, hebryngwyd ni i ystafell bur foethus, ac yr oedd yn amlwg mai dyma'r foment y bu'r tri ohonom yn pryderu yn ei chylch ers rhai wythnosau, sef y cyfweliad bondigrybwyll o flaen y Bwrdd Dethol. Cerddais i mewn i'r ystafell a'm calon yn curo, a gweld dau swyddog yn eistedd wrth y bwrdd. '*Good afternoon, Mr Jones,*' meddai un. Bu bron i mi edrych o'm cwmpas i weld pwy oedd y 'Mr Jones' 'ma yr oedd yn cyfeirio ato. Nid oedd neb erioed wedi cyfeirio ataf fel Mr Jones o'r blaen. Nid wyf yn cofio'r rhan fwyaf o'r cwestiynau a ofynnwyd i mi, ond yr oedd y ddau swyddog yn gwrtais dros ben, ac atebais eu cwestiynau – rwy'n meddwl – yn fwy a mwy hyderus. Yr wyf yn cofio un cwestiwn. '*What would you do, Mr Jones, if you were flying a Spitfire and you saw a German fighter on your tail?*' Fel fflach daeth aerobatics Idwal a'i awyren i'm cof. '*I would do a quick and fast loop until I was on his tail Sir,*' meddwn innau. Ateb anobeithiol wrth edrych yn ôl, ond beth oeddent yn ei ddisgwyl gan lencyn o Gymro dibrofiad, deunaw oed?

'Hir pob aros,' meddai'r hen air, a dyna oedd ein hanes ni ar ôl yr antur yng ngwersyll Padgate, Warrington. Dychwelsom i'n cynefin yn Nyffryn Nantlle, ond mae'n rhaid i mi gyfaddef, ni fu bywyd byth yr un fath ar ôl yr agoriad llygad yn Warrington.

Nid oedd dim i'w wneud bellach ond disgwyl am ganlyniadau'r cyfweliad a'r archwiliad meddygol. Ni fu rhaid disgwyl yn hir, oherwydd ymhen rhyw dair wythnos disgynnodd amlen drwy'r drws yn fy hysbysebu fod y Brenin Siôr V yn barod i'm derbyn fel darpar-swyddog yn y RAF. Haleliwia! Yn anffodus, darganfu'r meddyg llygaid fod nam ar olwg Wil, ac felly ni allai ddarparu i fod yn beilot. Methiant fu cais Ieuan yn ogystal, ac y mae'n rhaid i mi gyfaddef fy mod yn bur drist, oherwydd yr oeddwn wedi mawr obeithio y buasai'r tri ohonom yn mynd gyda'n gilydd yn llwyddiannus a dianaf hyd ddiwedd y rhyfel, ond nid felly y bu.

Yn gynnar ym mis Awst y cyrhaeddodd y llythyr, ac yn ogystal â chadarnhau fy nerbyniad, yr oeddwn yn awr yn aelod cyflawn o'r RAF a'r cam nesaf oedd treulio chwe mis mewn Prifysgol i astudio Ffiseg, Mathemateg a Pheirianneg, ac ehangu fy ngwybodaeth mewn *navigation* a *Morse Code* a'r dril felltith. Fy Mhrifysgol am y chwe mis nesaf fyddai Manceinion. Bu bron i mi lewygu pan sylweddolais fod astudiaeth o Ffiseg a Mathemateg yn rhan hanfodol o'r cwrs. Nid oeddwn erioed wedi cael gwers mewn ffiseg ac yr oedd fy mathemateg yn drybeilig. Rhan bwysig o'r cwrs Mathemateg oedd *Calculus* - meddan nhw.

Nid oeddwn erioed wedi clywed y gair heb sôn am ddilyn cwrs prifysgol. Nid oeddwn yn Einstein o bell ffordd, a phan glywais fod *Algebra* a *Geometry* hefyd yn rhan o'r cwrs, gwyddwn yn iawn eu bod ymhell tu hwnt i'm dealltwriaeth. Byddai edrych ar broblem mewn *Algebra* yn codi cyfog arnaf ac nid oeddwn chwaith yn gyfaill i Bythagoras. Cymraeg oedd fy iaith i, a'r diwylliant Cymreig oedd fy nghariad cyntaf. Yr oedd barddoniaeth Gymraeg yn agos iawn at fy nghalon, a chofiaf hyd heddiw rannau helaeth o farddoniaeth beirdd mawr ein cenedl fel Dafydd ap Gwilym, Ceiriog, R. Williams Parry, T. H. Parry-Williams ac eraill. Yr oedd cynnwys eu barddoniaeth yn apelio ataf, nid fel y llen niwlog fyddai'n disgyn dros fy ymennydd pan fyddwn yn ceisio dadansoddi problem fathemategol.

Cyfnod Manceinion

Oherwydd ein bod yn ddarpar swyddogion, anfonwyd ni i Brifysgol yn hytrach na rhyw wersyll diarffordd i ymarfer drilio ddydd ar ôl dydd.

Yr oedd tymor Prifysgol Manceinion yn dechrau ym mis Hydref, a gorfu i Mam druan a'm modryb Nel redeg o gwmpas siopau Caernarfon i brynu dillad addas i mi, oherwydd dim ond am ran o'r amser y byddem yn gwisgo iwnifform. Cefais byjamas newydd, esgidiau newydd, brwsh shefio, 'rasel ddiogel' a *blades*, sebon molchi a chadach gwlanen, côt law, a nifer o fanion bethau angenrheidiol eraill na fyddwn yn eu gweld gartref.

Er bod fy nhad a mam yn hynod ddigalon o weld y cyw yn gadael y nyth, daeth 'haul ar fryn' i Mam pan glywodd fy mod yn mynd i Fanceinion, oherwydd yr oedd un o'i chwiorydd yn byw yno, Modryb Magi a'i gŵr, Wncl Ellis. Yr oeddem fel teulu yn dra chyfarwydd â'r ddau, oherwydd byddent yn aros am ryw wythnos neu ddwy gyda ni yn ystod yr haf. Yr oeddwn yn hoff o'r ddau ohonynt ac yn mwynhau eu cwmni a'u caredigrwydd. Eu cyfeiriad ym Manceinion oedd 2 Hope Park Road, Prestwich.

Yn ôl y llythyr a dderbyniais gan y RAF, yr oeddwn i dreulio'r chwe mis nesaf yn Hulme Hall, sef neuadd breswyl ar gyfer myfyrwyr o'r Brifysgol. Nid oedd gennyf syniad ble'r oedd y neuadd, ond roeddwn yn sicr y byddai Wncl Ellis yn gwybod.

Ar fore fy ymadawiad o'm cartref, cerddais i lawr y llwybr cul o'r tŷ a chyn diflannu heibio siop Mrs Jones, becar, edrychais yn ôl a gweld Mam yn sefyll wrth y drws ffrynt, a ffarweliais trwy godi llaw. Nid oedd fy nhad yno, oherwydd yr oedd ef wedi mynd i'r chwarel ers peth amser, ond cyn mynd, galwasai arnaf o waelod y grisiau i ddymuno'r gorau i mi, a minnau'n gorweddian yn fy ngwely clyd. Oherwydd ei bod yn wyliau yr oedd fy ffrindiau i gyd ar wasgar ond fel bachgen ifanc iach, llwyddais i ffarwelio yn deimladwy â rhai o'm ffrindiau benywaidd.

Am y tro cyntaf yn fy oes, yr oeddwn yn hollol annibynnol, heb neb i ddweud wrthyf 'gwna hyn' a 'gwna'r llall'. Er hynny, daeth rhyw bwl o hiraeth wrth fynd heibio'r caffi lle treuliais gymaint o amser yn bwyta sglodion tatws a chwarae snwcer, heibio'r siopau groser a siopau'r bwtsieriaid yr oeddwn mor gyfarwydd â nhw.

Yr oeddwn yn ddeunaw oed, ond nid oeddwn wedi smocio erioed fel y mwyafrif o'm cyfoedion. Yr oedd fy nhad yn smociwr trwm, dim ond Woodbines, paced o bump am ddwy geiniog, ond am ryw reswm nid apeliai sigarennau ataf o gwbl yn ystod dyddiau ysgol. Ond nid dyddiau ysgol oedd y rhain, ac er mwyn profi i mi fy hun fy mod yn hollol annibynnol, prynais baced pump o sigarets (Players) a blwch o fatsis wrth ddisgwyl am y trên. Taniais fy sigarét gyntaf erioed fel y cychwynnai'r trên o'r stesion, ac ni fwynheais y profiad o gwbl. Nid oedd y blas yn dderbyniol, ond fel y gŵyr cannoedd ohonoch, ni chymer y cyffur *nicotine* lawer o amser i fod yn feistr corn arnoch, ac ymhen rhyw wythnos, yr oeddwn wrthi fel corn simdde yn anadlu mwg i'r ysgyfaint.

Cyrhaeddais stesion Exchange Manceinion yn hollol ddidrafferth, ac yno i'm cyfarfod yr oedd Wncl Ellis, yn barod ei gymwynas fel arfer. Yr oedd Modryb Magi yn ein disgwyl, hithau'n lwmp o garedigrwydd. Yr oedd y tŷ fel pin mewn papur, sglein ar bopeth, a'r bwrdd wedi ei osod yn daclus ar gyfer brechdanau Spam a phaned o de. Ymhen rhyw awr, i ffwrdd â ni, Wncl Ellis a minnau, yn yr Austin 7, a chyrraedd Hulme Hall ymhen dim.

Hen adeilad a adeiladwyd, debygwn i, yn y bedwaredd ganrif ar bymtheg oedd y Neuadd lle'r oeddwn i dreulio'r misoedd nesaf, wedi'i hamgylchynu â chlwstwr o goed, ac yn fangre ddelfrydol ar gyfer myfyrwyr. Nid oedd sŵn diderfyn y tramiau a'r traffig i'w clywed o fewn ei muriau. Yr oeddwn fel plentyn bach yn gweld y byd mawr am y tro cyntaf. Nid oedd yn or-foethus, ond yr oedd pob ystafell wedi'i dodrefnu yn addas iawn ar gyfer astudio, gyda dau wely, a basin ymolchi ymhob ystafell gyda digonedd o ddŵr poeth a dŵr oer. Yr oedd yno fath hyd yn oed. Yr oedd hyn i gyd yn hollol ddieithr i mi. Nid oeddwn yn gwybod am neb gyda bath yn y tŷ yn Nhal-y-sarn tan ddiwedd y tri degau, pan adeiladwyd tai Cyngor yn y pentref. Yr oedd fy nghyfnither Cissie yn byw mewn tŷ felly, ac o gwmpas 1939 byddwn yn mynd yno am fath. Gallwch ddychmygu rwy'n siŵr mor wahanol oedd amgylchedd Hulme Hall i'm hen gartref yn Nhal-y-sarn. Yr oedd popeth a phobman yn newydd i mi.

Pan gyrhaeddais fy ystafell, yr oedd bachgen ifanc yn disgwyl amdanaf. Bill Kemp oedd ei enw. Yr oedd ef fel llawer o'r darpar swyddogion wedi derbyn yr addysg orau bosibl yn yr enwog Manchester Grammar School. Daeth bachgen ifanc arall o'n grŵp i mewn i'r ystafell; bachgen o

Gernyw o'r enw Bernard Jenkins. Treuliodd y ddau ohonom beth amser yng nghwmni ein gilydd, tua dwy flynedd, ac yr oeddwn yn hoff iawn ohono.

Yr oedd y misoedd ym Manceinion yn hollol wahanol i'r bywyd gwladaidd a Chymreigaidd a adawswn ar f'ôl. Dysgais o reidrwydd sut i fyw yn annibynnol, heb arweiniad tad a mam ac athrawon ysgol. Yr oeddwn mewn awyrgylch ddinasyddol, yn ceisio dygymod ag ail iaith. Er bod tua hanner cant ohonom, gan gynnwys dau neu dri o dde Cymru, nid oedd neb yn siarad Cymraeg. Mewn gwirionedd, yn ystod bron i bedair blynedd a dreuliais yn y llu awyr, ni chefais gyfle o gwbl i siarad Cymraeg.

Nid disgybl mewn ysgol oeddwn mwyach, ond gŵr ifanc gyda chyfrifoldebau na wynebais mohonynt erioed o'r blaen. Yr oedd ceisio cydymffurfio yn anodd. Nid oeddwn wedi arfer bwyta bob pryd wrth fwrdd ar gyfer deg ohonom, a byddwn yn gorfod edrych yn fanwl sut y byddai'r gweddill yn bwyta – a'u dynwared. Yr oeddwn erbyn hyn yn smociwr gyda'r gorau, ac yr oedd hyn y dyddiau hynny yn arwydd o fod yn ddyn. Fel llawer o'm cyd-fyfyrwyr a oedd yn hen gyfarwydd â mwynhau glasiad o gwrw cyn bwyta, dilynais innau'r arferiad, ond tueddai hyn i fynd yn ormod o arferiad, a byddai treulio rhai oriau mewn tŷ tafarn yn rhywbeth rheolaidd – ond onid oeddwn yn ddyn erbyn hyn?

Cefais gyfle i gymysgu gyda bechgyn a fu yn ddisgyblion yn rhai o ysgolion gramadeg gorau'r wlad, yn ogystal ag ysgolion preswyl. 'Halen y Ddaear' oedd y bechgyn hyn, yn hynod gyfeillgar a heb snobyddiaeth yn perthyn iddynt o gwbl.

Yr oedd y darganfyddiadau hyn yn lledaenu fy meddwl,

ac yr oeddwn yn prysur ddysgu bendithion dwy iaith ac yn datblygu yn gorfforol a meddyliol. Rwy'n cofio bod ar ddyletswydd un noson mewn ystafell yn y brifysgol, yn barod i ddiffodd unrhyw dân yn yr adeilad pe byddai bom yn disgyn. Yr oedd yn noson oer ychydig cyn y Nadolig, ac yr oedd tân trydan yn yr ystafell, gydag un bar yn ceisio cynhesu'r holl ystafell. Nid oeddwn erioed wedi gweld tân trydan o'r blaen, ac nid oedd gennyf syniad sut i'w drin. Gallwch ddychmygu felly fel yr oedd y darganfyddiadau newydd 'ma yn lledaenu fy meddwl, ac yn raddol newid fy mhersonoliaeth. Yr oeddwn yn newid. Er gwell? Nid wyf yn sicr.

Nid oedd y cwrs a ddilynem yn hawdd i mi o bell ffordd. Roedd y mathemateg, yn arbennig y *Calculus* tu hwnt i'm dealltwriaeth, ac yn rhy aml yr oedd y Ffiseg yn niwlog iawn hefyd. Yr oedd y pynciau academaidd hyn yn achosi llawer o boen meddwl i mi, oherwydd fel y crybwyllais eisoes, yr oeddynt yn hollol ddieithr. Ond rywfodd, llwyddais i grafu drwodd yn llwyddiannus yn yr arholiad terfynol ar ddiwedd ein chwe mis.

Pan ddaeth y cwrs i ben y mis Ebrill canlynol, yr oeddwn yn berson tra gwahanol i'r un a adawodd ei hen gynefin yn Nhal-y-sarn chwe mis ynghynt.

Am ryw reswm, nid oeddem fel grŵp yn boblogaidd iawn ymhlith y myfyrwyr amser llawn, a thueddent i gadw draw oddi wrthym. Yn anffodus, nid oeddem yn cael ein hystyried ganddynt yn *academic material*, ac yr oedd tuedd yn eu plith i'n bychanu o'r herwydd, gan nad oeddem, fel hwy, yn dilyn cwrs gradd am dair blynedd a mwy. Ond gallaf eich sicrhau fod y mwyafrif ohonom (ar wahân i mi a rhyw ddau neu dri arall), wedi derbyn yr addysg orau bosib, amryw ohonynt yn gynnyrch ysgolion preswyl ac Ysgolion Gramadeg gorau Lloegr. Nid oedd y ffaith y byddem yn gwisgo iwnifform ar adegau arbennig yn boblogaidd iawn chwaith. Yr oeddem yn grŵp ar wahân, gyda dyheadau gwahanol a nod pendant i'n bywydau. Ond yr oeddwn innau wedi derbyn addysg ardderchog yn Ysgol Ramadeg Pen-y-groes.

Yr oedd un Iddew yn y grŵp, mathemategydd ardderchog, ac yn fachgen annwyl dros ben, gyda gwên ar ei wyneb bob amser. Yr oeddwn yn hoff iawn ohono. Bill Holt oedd ei enw. Yn anffodus, lladdwyd yr hen Bill yn Arkansas tra oeddem yn cwblhau cwrs hedfan arbennig yn yr Unol Daleithiau. Talaith fryniog iawn yw Arkansas, ac ar ddiwrnod cymylog, ac yntau yn hedfan traws gwlad, ceisiodd hedfan o dan y cymylau oherwydd nad oedd yn sicr ble'r oedd, ac yn anffodus trawodd yn erbyn un o'r nifer o fryniau y cyfeiriais atynt uchod, a lladdwyd ef yn y fan a'r lle.

Ond nid gwaith a gwely yn unig oedd ein cwrs. I raddau, dilynem ran o drefn wythnosol y Brifysgol, hynny yw, byddem yn cael cyfle i chwarae pêl-droed ar un o nifer o gaeau'r Brifysgol, a chredwch fi, yr oedd yn ein *Flight* ni nifer sylweddol o fechgyn a oedd yn bêl-droedwyr medrus iawn, gydag amryw ohonynt wedi derbyn gwersi ffurfiol gan hyfforddwyr proffesiynol yn eu hysgolion, yn arbennig yn yr ysgolion preswyl. Braint i mi oedd cael fy newis i chwarae *left back* yn y tîm cyntaf. Byddem yn chwarae ar bnawn Mercher a phnawn Sadwrn, naill ai ar ein cae ni, neu oddi cartref yng nghyffiniau Manceinion. Yn ystod fy nghyfnod yno, dim ond un gêm a gollwyd gennym, a honno yn erbyn yr enwog Ysgol Ramadeg y Bechgyn, Manceinion. Y sgôr oedd 4-3.

Fel rhan o'r cwrs byddem yn treulio peth amser yn y gymnasiwm i dderbyn hyfforddiant a fyddai'n addas i'r bywyd milwrol. Un o'n hyfforddwyr oedd Frank Swift, cyn gôl-geidwad tîm pêl-droed Lloegr cyn y Rhyfel, ac yr oedd ganddo ef ddiddordeb arbennig yn ein tîm pêl-droed fel y gallwch ddychmygu.

Un arall o'm cyfeillion oedd bachgen hynod ddeallus (ond mae treigl amser yn golygu fod ei enw bellach wedi mynd i ebargofiant!). Yr oedd ganddo ddiddordeb arbennig mewn cerddoriaeth glasurol, ac roedd ganddo ramoffon yn ei ystafell a nifer helaeth o recordiau, yr hen 78s, o symffonïau, ac yn arbennig oratorios. Edrychai ar Gymru fel cenedl gerddorol iawn, a gwir oedd hynny wrth gwrs, ond cerddoriaeth leisiol oedd ein prif ddiddordeb. Corau meibion a chymanfaoedd canu ac eisteddfodau gyda llawer o gystadlu lleisiol, dyna oedd mawredd cerddoriaeth Cymru i mi. Dyna'r traddodiad y magwyd fi ynddo. Credai fy mod innau, oherwydd fy mod yn Gymro, yn hyddysg yn y clasuron cerddorol, ac ychydig a wyddai mai'r unig offerynnau a glywais erioed oedd y piano a'r organ yn y capel a'r band pres, ar wahân i un record a glywais o gorau ysgolion Manceinion a'r cylch yn canu'n wefreiddiol y gân 'Nymphs and Shepherds' gyda chyfeiliant cerddorfa. Unwaith bob blwyddyn, byddai'r Bangor Trio yn dod i'r ysgol i berfformio cerddoriaeth glasurol, sef ffidil, sielo a phiano. Dwy wraig yn chwarae'r offerynnau llinynnol, a dyn ar y piano. Nid oeddem wedi'n trwytho mewn cerddoriaeth o'r fath, ac o'r herwydd, byddai plant dosbarthiadau 1, 2 a 3 yn treulio mwy o amser yn ceisio darganfod pa liw blwmar oedd y sielydd yn ei wisgo, na gwrando'n astud ar waith Beethoven.

Byddai aelodau ambell gapel yn treulio wythnosau yn darparu oratorio, a byddai'r capel dan ei sang pan fyddent yn perfformio'r gerddoriaeth, a'r sain yn wefreiddiol. Ond cerddorfa? Na. Nid oeddwn yn gyfarwydd â'r sain, ac nid oeddwn yn gyfarwydd ag enwau'r offerynnau. Pan oeddwn yn bur ifanc, rwy'n cofio cyngerdd yng nghapel y Bedyddwyr yn Nhal-y-sarn, ac ymhlith y perfformwyr yr oedd gŵr o gyffiniau Carmel a oedd am roddi datganiad ar ei ffidil – rhywbeth newydd sbon yn ein hanes. Yr oedd y capel eto dan ei sang a phawb yn edrych ymlaen at glywed y ffidlwr. Cerddodd ar y llwyfan, ond er mawr siom i'r gynulleidfa, ac yntau ar ganol ei strôc gyntaf gyda'r bwa, maluriwyd llinynnau'r ffidil, ac ni chlywsom ond un wich fach ddigon tila. 'Scersli bilif.' Peidiwch meddwl fy mod am fychanu cerddoriaeth yn Nhal-y-sarn, dim o gwbl. Soniais ynghynt am gyfraniad y seindorf arian, Côr Meibion Dyffryn Nantlle a Mary King Sarah. Yn sicr, gallem ymfalchïo yn safon ein cerddorion a'u cerddoriaeth ar ddiwedd y bedwaredd ganrif ar bymtheg a dechrau'r ugeinfed. Yr oeddwn innau, heb fod yn enwog, wedi canu ar hyd fy oes, ac yr oeddwn yn hoff iawn, iawn o gerddoriaeth.

Felly, pan wahoddwyd fi gan fy nghyfaill i fynd i Neuadd Fawr tref Manceinion i wrando ar y Messiah, nid oedd angen gofyn i mi ddwywaith. Yr oedd cerdded i mewn i'r Neuadd yn agoriad llygad, gyda rhai cannoedd o bobl wedi dod i wrando ar oratorio Handel yn cael ei chyflwyno gan gôr o gantorion proffesiynol ac unawdwyr rhyngwladol. Mwynheais yr oratorio yn fawr iawn; un peth yw gwrando ar 'Nymphs and Shepherds' ar y gramoffon, rhywbeth arall yw bod yn bresennol yn y fan a'r lle, a gweld y gerddorfa yn ogystal â'i chlywed. Rwy'n sicr mai'r profiad hwn a ddeffrodd ynof yr awydd i astudio cerddoriaeth glasurol.

Nid oeddwn wedi yfed cwrw yn fy mywyd cyn cyrraedd Manceinion, o barch i Mam a Nain, Anne Jones. Fel y cyfeiriais eisoes, yr oedd fy nhad wedi treulio rhai blynyddoedd yn y llynges yn ystod yr Ail Ryfel Byd, a byddai ef yn mynd dros ben llestri ambell dro dan ddylanwad y cwrw melyn bach, er mawr boen i'r ddwy wraig. Ond yr oeddwn innau yng nghanol cyfoedion oedd yn hen gyfarwydd ag yfed, yr oedd yfed yn rhan naturiol o'u bywydau, a rhag iddynt feddwl fy mod yn anghwrtais, ymunais â'r criw, a chael y profiad, fel fy nhad, o fynd dros ben llestri fwy nag unwaith. Nid yn aml cofiwch, oherwydd nid oeddwn mor gyfoethog â nhw o bell ffordd.

Ar ôl cyfnod byr o chwe mis, yr oeddwn wedi dysgu llawer, a gŵr ifanc tra gwahanol a ddychwelodd i Dal-y-sarn ar ddiwedd y cwrs. Yr oeddwn wedi gweld byd gwahanol iawn i'r gymuned lle magwyd fi, ac wedi cael profiadau na freuddwydiais amdanynt erioed. Ni ddywedodd fy nhad air o gondemniad pan welodd fy sigarét gyntaf, oherwydd yn y dyddiau hynny, yr oedd smygu yn rhan anhepgor o fywyd. Ond nid euthum yn agos i dŷ tafarn am rai blynyddoedd rhag ofn i mi achosi poen i Mam, a hefyd yr oedd fy magwraeth foesol wedi treiddio yn ddwfn iawn i'm personoliaeth, sef fy iaith, diwylliant, crefydd ac yn arbennig yr ysgol Sul, a phopeth oedd yn gysylltiedig â nhw. Colled aruthrol i blant, yn arbennig heddiw, yw diflaniad yr ysgol Sul. Bu'n gymorth mawr i mi mewn aml gyfyngder yn ystod fy nghyfnod yn y llu awyr.

Llundain, Brighton a Fairoaks.
Y trydydd cyfnod

Ar ddiwedd ein cwrs ym Manceinion, anfonwyd ni gartref am bythefnos, ac y mae'n rhaid i mi gyfaddef i mi fwynhau fy arhosiad ym Manceinion, ar wahân i agwedd gelyniaethus rhai myfyrwyr tuag at Bill Holt druan a'i Iddewiaeth. Yr oedd un grŵp yn Hulme Hall gyda thueddiadau Naziaidd cryf, ac yn hynod wrth-Iddewig, ac un noson cyn i ni ymadael rhoddwyd curfa bur boenus i Bill. Yr oedd agwedd o'r fath yn hollol annerbyniol ac annealladwy i mi, yn arbennig yn 1941, o ystyried creulondeb y Naziaid yn eu gwersylloedd carchar, a'r miloedd ar filoedd o Iddewon yn arbennig a lofruddiwyd ganddynt yn y dull mwyaf erchyll, sef nwy gwenwynig.

Ar ddiwedd fy mhythefnos o seibiant gartref, derbyniais y llythyr arferol yn cynnwys tocyn un ffordd i Lundain, a chyfeiriadau sut i fynd i rywle o'r enw St John's Wood. Enw yn unig oedd Llundain i mi ar y pryd, ond gan fod fy nhad wedi teithio droeon i Portsmouth yn ystod y Rhyfel Byd Cyntaf, gallai ddweud wrthyf ym mha le i newid trên ac yn y blaen.

Cyrhaeddais y brifddinas yn oriau mân y bore, ac yno yn disgwyl amdanaf – diolch byth, yr oedd fy hen gyfaill Bill Holt, oedd yn dra chyfarwydd â'r ddinas. Aeth y ddau ohonom i'r gwersyll yn St John's Wood, a phrofiad newydd i mi oedd teithio tan ddaear ar y *tube* drewllyd.

Adeilad anferth oedd y 'gwersyll' hwn ar gyfer pobl fel ni oedd *in transit*, sef pobl 'arhosiad byr'. Nid oedd Llundain yn apelio ataf o gwbl, heb ddim i'w weld ond tai a siopau, a choed a edrychai yn bur artiffisial. Yr oedd parc yn weddol agos, gyda channoedd o bobl yn mwynhau'r heulwen, ond nid oeddwn yn adnabod neb, ac nid oeddynt hwythau yn cymryd diddordeb o gwbl ynom ninnau, er ein bod erbyn hyn yn gwisgo siwt las y RAF. Treuliasom bythefnos yn y lle dychrynllyd hwn os cofia i'n iawn. Yr oedd corporal yn gyfrifol amdanom, ac yr oedd wrth ei fodd yn dangos person mor bwysig ydoedd ac mor awdurdodol y gallai fod. Nid ydwyf yn cofio'i enw gan mai fel 'Corporal' y byddem yn cyfeirio ato. Un byr, eiddil o gorff ydoedd, ac edrychai arnom ni'r 'sprogs', sef y newydd-ddyfodiaid dibrofiad, fel rhyw greaduriaid cynoesol. Yr oedd yn awyddus i ddangos i ni mor bwysig oedd y ddwy streipen las ar ei got, a mwynhâi ein gorfodi i ail-wneud gwaith drosodd a throsodd. Gwaeddai ei orchmynion fel pe bai pob un ohonom yn hollol fyddar, ac yr oedd yn hoff iawn, iawn o'i lais ei hun. Gorfodai ni i lanhau'r tapiau dŵr oer a phoeth yn ein hystafell, ac ar ôl i ni orffen, byddai byth a hefyd yn gweld rhywbeth o'i le, a'n gorfodi i lanhau'r tapiau dŵr a'r basin dro ar ôl tro. Er mai Sais oedd o, geirfa brin iawn oedd ganddo yn ei famiaith, a gallaf eich sicrhau nad geirfa'r ysgol Sul ydoedd. Roeddwn yn ei gasáu heb air o gelwydd. Yr un modd gyda'r llawr o gwmpas ein gwely, gorfodai ni i'w lanhau drosodd a throsodd. Dyma oedd ei ffordd o ddangos beth oedd disgyblaeth, a'n dysgu sut i ufuddhau gorchmynion oedd yn atgas gennym. Gallwch ddychmygu nad oedd yn boblogaidd o gwbl, a rhyddhad i ni oedd derbyn gorchymyn 'oddi fry' i hel ein pac at ei gilydd, a'i osod yn daclus yn ein *kitbag* cyn gorymdeithio i'r stesion agosaf. Nid oedd gennym syniad ble'r oeddem yn mynd, ond pan gyraeddasom ben ein taith, yr oeddem yn Brighton sydd ar lan y môr, ac a oedd ar y pryd yn agos iawn at awyrennau'r gelyn yn Ffrainc. Bu'n rhaid i ni orymdeithio o'r stesion a chyraeddasom glamp o westy moethus iawn yr olwg. Dyma'r Metropole Hotel a oedd yn enwog am ei ysblander cyn y rhyfel. Ond nid felly y bu yn ein hanes ni. Yr unig wahaniaeth rhwng y Metropole a St John's Wood oedd bod golygfa fendigedig o'r naill, a gallem edrych i'r pellter dros y môr, a cherdded gyda'r nos yn yr awyr iach. Yr oedd rhybuddion ymhobman i'n rhwystro rhag cerdded ar y traeth, gan fod cannoedd o ffrwydron wedi'u plannu yn y tywod.

Ymddengys mai Marshal of the Royal Air Force a'i gyd-gyfalafwyr oedd perchenogion y Metropole, ac yn Ystafell 504, yr oedd y ddisgyblaeth a ddaeth i'n rhan yn St John's Wood yn waeth os rhywbeth. Ond yn ffodus, nid Corporal 'ceg fawr' oedd yn gyfrifol amdanom y tro hwn, ond sarjant llawer mwy addfwyn a deallus. Yma eto, treuliem awr ar ôl awr yn glanhau'r tapiau dŵr yn yr ystafell, drosodd a throsodd, a byddai'r llawr yn disgleirio ar ôl cymaint o 'fôn braich'.

Un prynhawn wrth gerdded ar y prom, daeth un o awyrennau'r gelyn yn eithriadol gyflym, ac yn isel iawn, bron iawn yn crafu wyneb y môr. Gan ein bod yn dra chyfarwydd ag *Aircraft Recognition*, gallem adnabod awyren Brydeinig neu Almaenig mewn fflach, ar ôl yr holl ymarfer cyson yr oeddem wedi ei gael, nid yn unig ym Manceinion, Llundain a Brighton, ond hefyd yn yr ATC ym Mhen-y-groes. Gwyddem ar unwaith mai Me. 109 oedd hon, awyren ryfel (*fighter*) orau'r Almaen ar y pryd. Ond gallent osod ynddi un bom bum can pwys yn ogystal, a'i throi yn fomar dros dro. A bomar o'r fath oedd hon. Diflannodd y tri ohonom i'r gwrych agosaf fel cwningod i'w gwâl, ac aeth yr Me. yn ei blaen i ollwng bom ar stesion Brighton. Ni achosodd lawer o ddifrod, ac ni laddwyd ac ni chlwyfwyd neb cyn belled ag y gwyddem. Y mae'n amlwg fod gan yr Me. barch mawr i'r nifer helaeth o Spitfires a Hurricanes oedd o gwmpas, a ffodd am ei bywyd cyn gynted ag y gallai yn ôl i'w nyth yn Ffrainc. Dyma'r tro cyntaf i mi weld awyren ryfel y gelyn, ond nid y tro olaf. Wrth orwedd yn fy ngwely clyd yn Nhal-y-sarn, byddwn yn clywed eu bomwyr yn grwnian ar eu ffordd i Lerpwl, ond yn y nos y byddai hynny, ac ni fyddwn yn gweld yr un ohonynt.

Ni ddylanwadodd ein harhosiad yn Brighton rhyw lawer arnom, ac yr oeddem i gyd yn hynod falch pan glywsom orchymyn brysiog y Sarjant yn galw arnom i baratoi i ffarwelio â'r dref. Y tro hwn, cawsom wybod i ble'r oeddem yn mynd, sef ardal wledig yn swydd Surrey, i faes awyr bychan o'r enw Fairoaks, i'n paratoi ar gyfer ein cam cyntaf fel peilotiaid. O'r diwedd, dyma ni'n dechrau o ddifrif ar ein gyrfa ddewisedig.

Cyraeddasom Fairoaks ar bnawn hafaidd ym mis Mehefin, ac ni chefais fy siomi; yr oedd y maes awyr yng nghanol gwlad amaethyddol gynhyrchiol yr olwg. Yr oeddwn yn teimlo'n gartrefol ar unwaith. Nid oedd mynydd i'w weld yn unman ychwaith, dim ond gwastadedd.

Wrth edrych ar y maes awyr, gwelem nifer o Tiger Moths wedi'u gosod yn drefnus ochr yn ochr, ac achosai hyn gryn gynnydd yng nghuriad fy nghalon. 'Mae amser gwell i ddyfod, Haleliwia,' fel y byddai'r hen Bob Roberts,

Tai'r Felin yn canu ers talwm. Yr oedd yn faes awyr delfrydol ac yn wastad fel bwrdd biliards, gyda digonedd o le i'r Tiger Moths araf godi a glanio heb lawer o beryg. Ond er hynny, bu yno nifer o ddamweiniau angheuol.

Clywais yn ddiweddarach mai yma y lladdwyd fy hyfforddwr ychydig wedi i ni ymadael. Yn anffodus, diofalwch dynol sy'n gyfrifol am y mwyafrif o ddamweiniau angheuol gydag awyren. Mae hedfan a thrin awyren yn galw am barch, a chefais fy nysgu i fod yn ofalus dros ben ac yn effro bob amser. Rwy'n cofio fy hyfforddwr yn dweud wrthyf: *'Treat her with the utmost repect; height and speed never killed anybody.'* Cyfeiriais eisoes at ddylanwad Idwal Jones arnaf yn y tri degau, a'i gampau yn yr awyren – yn 1936, nid diffyg parch a gofal achosodd ei ddamwain ef ond yn hytrach ehedeg yn llawer rhy agos i'r ddaear. Nid oedd yn barod am y chwa o wynt annisgwyl a achosodd ei awyren i daro'r llawr, ac fe'i lladdwyd yn y fan a'r lle. Ar y pryd, yr oedd yn hedfan mewn Tiger Moth, ac yn dangos ei ddawn unigryw i rai cannoedd o ymwelwyr oedd wedi dod i wylio awyrennau Syr Alan Cobham. Camp Idwal oedd codi hances boced a glymwyd ar bolyn yn agos iawn i'r llawr, gyda adain ei awyren. Claddwyd ef os ydwyf yn cofio'n iawn ym mynwent Eglwys Llanllyfni, mewn cynhebrwng na welwyd ei debyg byth ar ôl hynny, gyda rhai cannoedd o drigolion y dyffryn ac eraill yn gorymdeithio o'i gartref yng Nghoetmor, Tal-y-sarn yr holl ffordd i Lanllyfni.

Dilynais gyngor fy hyfforddwr bob amser, a cheisiais fod yn ofalus mor aml ag oedd bosib, ond yn ystod y rhyfel, galwai rhai amgylchiadau ar reddf yn hytrach na rheswm.

Yr oedd nifer o Nissen Huts yn disgwyl amdanom, a'r rheiny yn glyd a chyfforddus, gyda gwelyau y gallech wir orffwys arnynt. Rhyw filltir o'r maes awyr yr oedd pentref hynafol, cysglyd Fairoaks, gyda'i dai hen-ffasiwn, a'r dafarn a oedd yn rhan o gymeriad y pentref yn hwylus yn y canol. Yr oedd yno hyd yn oed rai bythynnod to gwellt. Gyda'r nos wedi i'r hedfan ddirwyn i ben, byddem yn cerdded i lawr i'r pentref a'r dafarn, ac ar y ffordd gallech glywed myrdd o adar bach yn canu, oherwydd fel y crybwyllais uchod, yr oedd hon yn ardal goediog. Ambell waith clywem lais cras y ceiliog ffesant yn y coed, a byddai hyn yn achosi ychydig o hiraeth o gofio'r dyddiau difyr hynny pan oeddwn tua dwy ar bymtheg oed yn saethu ffesantod ar dir Plas Cwm Pennant – heb ganiatâd. Does ryfedd i mi syrthio mewn cariad â Fairoaks y munud y troediais dir yr ardal, ac edrychwn ymlaen at fy ngwers gyntaf mewn awyren.

Trannoeth, dosbarthwyd ni yn grwpiau o bedwar, a chawsom gyfle i gyfarfod a sgwrsio gyda'n hyfforddwr. Yn anffodus, nid wyf yn cofio ei enw, ond erys yn fy nghof fel gŵr bonheddig, caredig a pharod ei gymwynas bob amser. Ef a'm cyflwynodd i gyfrinachau'r Tiger Moth gan egluro'n amyneddgar, ond trwyadl, gymhlethdod peiriant na fwriadodd Duw erioed iddi adael y llawr. Dim ond adar oedd â'r iawn a'r ddawn i dramwyo llwybrau'r awyr, ond llwyddodd dyn er hynny trwy ei ddyfeisgarwch yn bur dda i ddynwared yr adar.

Yr oeddwn yn barod am fy ngwers gyntaf, a'm calon yn curo heb air o gelwydd. Yr oeddwn yn gwisgo dilledyn un-darn, gydag esgidiau bron yn cyrraedd y pen-glin o ledr a gwlân tu mewn i'm cadw'n gynnes. Yr oedd helmed ar fy mhen, a goglau i rwystro'r gwynt rhag amharu ar fy llygaid.

Yr oedd *parachute* yn hollol angenrheidiol wrth gwrs, a chyn esgyn i'm set yn yr awyren, dangosodd fy hyfforddwr i mi sut i wisgo'r *parachute*, a sut i sicrhau'r nifer o strapiau.

De Haviland Tiger Moth oedd yr awyren. Cynlluniwyd hi cyn yr Ail Ryfel Byd yn bwrpasol ar gyfer darpar-beilotiaid yn y RAF. Awyren ddwbl oedd hi, hynny yw, awyren gyda dwy aden bob ochr. Nid oedd yn rhy gyflym, ac yn barod bob amser i dderbyn unrhyw 'gosb' gan ddarpar-beilot trwsgwl. Gallech ei thrin fel fyd ag a fynnech. Yr oedd lle i ddau eistedd ynddi, y naill tu ôl i'r llall, yr hyfforddwr yn y sêt flaen, a'r darpar-beilot y tu ôl. O'm blaen, yr oedd panel gyda nifer o ddeialau arno, llai mewn gwirionedd na'r nifer o ddeialau mewn car modern. Ond yr oedd rheswm digonol am hyn. Nid gyrru car oeddem ni, ond awyren rai miloedd o droedfeddi uwchben y ddaear, ac yr oedd edrych o'ch cwmpas yn bwysicach nag edrych ar ddeialau ar banel, yn arbennig os oedd awyrennau'r gelyn o gwmpas. Ond yr oedd rhai deialau yn anhepgor. Er enghraifft, yr oedd y deial a ddangosai gyflymder yr awyren yn holl bwysig. Oherwydd os oeddech yn caniatáu i'r cyflymder fynd yn rhy isel, yna mewn chwinciad, byddai'n disgyn fel bricsan ac yn troelli tua'r ddaear, a choeliwch chi fi, nid oedd hwn yn brofiad dymunol o gwbl. Dyna oedd pwrpas y *speedometer*, sef cadw'r awyren dan reolaeth. Yr ail ddeial oedd yn dangos pa mor uchel yr oeddech yn hedfan, hwn oedd yr *altimeter*, deial pwysig iawn pan fyddech yn glanio ddydd neu nos. Yr oedd yno hefyd gwmpawd, wrth gwrs, i sicrhau eich bod yn hedfan o A i B a chyrraedd B yn ddiogel yn hytrach na Z. Yna yr oedd y prif rannau a reolai'r awyren, a'r rheiny dan reolaeth y peilot yn gyfan gwbl. Yn hwylus wrth ei law chwith yr oedd y *throttle*, a reolai gyflymder yr awyren, yn union fel cyflymydd (*accelerator*) mewn car, ond nid y troed a ddefnyddiech yn yr awyren ond y llaw. Tu allan i'r *cockpit* yr oedd dau swits i danio'r peiriant oedd yn troi'r *propeller*. Ond er ei fod y tu allan i'r *cockpit*, yr oedd o fewn cyrraedd pan fyddech yn cychwyn. Wrth draed y peilot yr oedd y *rudder bar*, sef bar o fetal a phedal bob pen iddo, y naill ar gyfer y droed dde, a'r llall ar gyfer y droed chwith, a reolai sut i droi'r awyren i'r dde neu chwith. Ac yna roedd y *joystick* a oedd rhwng y pengliniau. Yr oedd hwn yn sicr dan reolaeth y peilot bob amser, ac yn gyfrifol am bob symudiad o'r awyren. Pe symudech y *joystick* i'r chwith, yr oedd yr adain chwith yn disgyn; pe'i symudech i'r dde, yr oedd yr adain dde yn disgyn; pe tynnech yn ôl i gyfeiriad eich stumog byddai'r trwyn yn codi; pe gwthiech ymlaen i gyfeiriad y panel o'ch blaen, byddai'r trwyn yn disgyn. Os byddai galw arnoch i wneud rhyw gamp arbennig yn yr awyr ar wahân i hedfan yn syth a gwastad, yr oedd defnyddio'r *rudder* a'r *joystick* gyda'i gilydd yn allweddol. Gallai dealltwriaeth o'r fath benderfynu byw neu farw. Pan fyddai bomar dros yr Almaen yn ystod y rhyfel ac awyren y gelyn yn ymosod arni, byddem yn gwthio trwyn y bomar i lawr cyn gynted ag oedd bosib a defnyddio'r *joystick* a'r *rudder* i greu symudiad fel tynnu corcyn, a byddai hyn yn aml iawn yn llwyddiannus i gael gwared â'r awyren ryfel. Bu i ni'r myfyrwyr ddysgu'r symudiad hwn yn gynnar iawn yn ein hyfforddiant. Byddai'r hyfforddwr yn dweud wrthym am ddringo i uchder o ryw bum mil o droedfeddi, ac yna tynnu'r *throttle* yn ôl a'r *joystick* yr un pryd, ac fe welech ar y *speedometer* mor gyflym oedd y cyflymdra yn gostwng.

Byddai'r trwyn yn disgyn yn sydyn tua'r ddaear, a dyna pryd y byddem yn taro'r *rudder* i'r dde neu'r chwith a byddai'r awyren ar unwaith yn troelli fel chwyrligwgan. Fel y dywedais uchod, teimlad digon anghyfforddus oedd hwn ar y dechrau, ond deuthum i a'r lleill i gynefino yn fuan iawn. I sythu'r awyren ar ei ffordd i lawr, yr oedd yn rhaid taro pedal y *rudder* oedd gyferbyn yn galed i rwystro'r troelli dychrynllyd. Byddem yn gwneud hyn yn rheolaidd, nes oeddem yn hen gyfarwydd â'r symudiad. Methiant i gael y cydbwysedd hwn rhwng *throttle* a *rudder* fyddai'n achosi problem gynnar i ni'r darpar-beilotiaid dibrofiad.

Y bore tyngedfennol a chynhyrfus hwnnw yn 1942, cerddodd fy hyfforddwr a minnau yn hamddenol at ein hawyren, a oedd fel pe'n disgwyl amdanom, yn awyddus i rodio llwybrau'r cymylau cyn gynted ag oedd bosib. Yr oeddwn yn barod am fy ngwers gyntaf, a'm calon yn curo. Eisteddais yn y *cockpit* yn gyfforddus ar y *parachute*, a chlywais lais yr hyfforddwr yn galw ar y peiriannydd oedd yn sefyll o flaen y *propeller*. '*Switches off. Petrol on. Throttle closed.*' Yna trodd y swits ymlaen, agorodd ychydig ar y *throttle*, trodd y peiriannydd y *propeller*, a rhuodd y peiriant nes yr oedd yr awyren yn ysgwyd drosti, fel ceffyl rasio wrth y postyn cychwyn. I'w rhwystro rhag iddi neidio ymlaen yn ddireol, yr oedd dau ddarn o bren trwm o dan y ddwy olwyn (*chocks*). '*Chocks away,*' meddai'r llais. Agorodd y *throttle* yn llyfn ac i ffwrdd â ni fel cath i gythraul ar draws y cae; ac yn sydyn diflannodd y tir oddi tanom – yr oeddwn wedi ffarwelio â'r ddaear ac yn dynwared yr adar bach. Profiad cyffrous iawn. Er fy mod wedi cael cyfle i hedfan mewn Whitley ym Mhenrhos, Pwllheli, rai misoedd ynghynt, nid oedd hedfan yng nghrombil bomar hanner mor ddiddorol â hedfan mewn Tiger Moth a'n pennau allan yn yr awyr agored. Gallai hedfan mewn Whitley achosi *claustrophobia* i rai, ond nid y Tiger Moth a roddai i mi wir deimlad o hedfan.

Y siwrnai gyntaf honno yn Fairoaks roddodd i mi wefr na theimlaswn ei thebyg cynt, nac ar ôl hynny. Y tro cyntaf hwnnw, yr hyfforddwr yn unig a oedd yn gyfan gwbl gyfrifol am hedfan yr awyren, ond fel y crybwyllais uchod, gallem gadw cyswllt geiriol drwy gyfrwng pibell arbennig o'r naill *gockpit* i'r llall, a chyn cychwyn eglurodd unwaith yn rhagor y deialau a oedd o'm blaen, y cyfeiriais atynt uchod. Yr oedd ei lais tawel yn lleddfu'r cynnwrf ynof, tra oeddwn yn disgwyl am yr *off*. Yr oedd yr awyren yn codi'n uwch ac yn uwch, ac wedi i ni gyrraedd tua phum mil o droedfeddi, teimlais y *joystick* wrth fy mhen-glin yn symud ychydig ymlaen, a dyna ni'n hedfan yn esmwyth ac yn wastad. Gwelais y wlad o amgylch y maes awyr yn ei gyfanrwydd fel petai, yn arbennig pan fyddai'r hyfforddwr yn defnyddio'r *rudder* a'r *joystick* i wneud ambell i droad bychan i'r chwith ac i'r dde. Yna, yn sydyn, a hollol ddirybudd, daeth gorchymyn tawel dros yr *intercom*. '*Jones, you are in charge. I want you to fly straight and level. Take the joystick in your hand, place your feet on the rudder bar, and keep her nose just above the horizon.*' Bobol bach, beth fuasai Nhad a Mam yn ddweud ys gwn i, petaent wedi fy ngweld i! Heb air o gelwydd yr oeddwn yn crynu fel deilen. Gafaelais yn dynn yn y *joystick*, yn rhy dynn o lawer yn ôl ymateb yr awyren, oherwydd yn lle llithro'n llyfn a syth drwy'r awyr fel y gwnâi dan law'r hyfforddwr, yr oedd yn ymddwyn, neu'n hytrach yn camymddwyn fel ceffyl gwyllt, ac yn dechrau crwydro yn hollol ddireol o'r naill ochr i'r llall ac i fyny ac i lawr, fel pe bai am ddangos i mi nad oedd yn hoffi'r driniaeth a dderbyniai gennyf, mor llawdrwm a dau droed mor stiff â phrocar ar y *rudder bar*. Dyma lais tawel yr hyfforddwr yn galw, '*Treat her like a woman, Jones, not like a wild animal.*' Ymhen rhyw chwarter awr, a chydag arweiniad tawel yr 'efe', daeth yr awyren a minnau i ddeall ein gilydd. Yr oeddwn yn llwyddo i'w harwain yn syth a gwastad heb ddim problem. Nid oeddwn yn hoffi dweud wrtho nad oeddwn yn gwybod sut i drin merched chwaith, ond y buaswn yn gobeithio y buasai hynny yn digwydd mor ddidrafferth â'r awyren ymhen amser.

Mis Mehefin oedd hi, a'r tywydd yn fendigedig, haul poeth drwy'r dydd. Nid oedd tywydd o'r fath yn ddelfrydol oherwydd y gwres, a achosai gynnwrf yn yr awyr, a'r awyren o'r herwydd yn ymddwyn yn hollol wahanol i'r ffordd y dylai ac yn galw ar y peilot i ganolbwyntio'n fanwl ar ei waith. Ond yr oeddwn yn magu mwy a mwy o hyder bob dydd, ac yn treulio mwy a mwy o amser yn defnyddio'r *joystick*, y *rudder bar* a'r *throttle*, ac yn dechrau dysgu hedfan trwy deimlo yn hytrach nag edrych.

Yr oedd y dyddiau fel popeth arall yn hedfan heibio, a chyn bo hir, yr oeddwn yn ymarfer codi a glanio, sef y *circuits and bumps*, drosodd a throsodd. Golygai hyn fy mod yn gorfod cychwyn y peiriant yn ddiogel, heb dorri pen y peiriannydd druan a safai braidd yn rhy agos i'r *propeller*.

Y mae'n rhyfedd fel y mae rhyw un digwyddiad yn aros yn y cof ar ôl yr holl flynyddoedd, er mai un digon diniwed ydoedd o edrych yn ôl. Yr oeddem yn hedfan rhyw 5,000 o droedfeddi o uchder, ac ar fin ymarfer rhai o'r troelliadau hynny a oedd mor atgas gennyf, y *spins* bondigrybwyll. Dyma oedd ymateb fy nghyd ddarpar-beilotiaid hefyd. Troelliadau artiffisial oedd y rhain wrth gwrs, ni fyddai'n creu'r sefyllfa trwy leihau'r cyflymder a defnyddio'r *joystick* a'r *rudder* i greu'r troelliad. Pwysleisiai'r hyfforddwr mor bwysig oedd gwybod sut i reoli troelliad o'r fath, a gwybod yn reddfol sut i unioni'r awyren allan ohoni. Rhyw ddwy flynedd yn ddiweddarach, yr oeddwn yn bur ddiolchgar iddo am ei gyngor pan fyddai galw brysiog am droelliad o'r fath mewn tywyllwch dudew i osgoi awyrennau Me. a Fokker y gelyn a fyddai'n prowla i chwilio amdanom ym mherfedd nos.

Ond cyfeirio yr oeddwn at ddigwyddiad arbennig yn Fairoaks y diwrnod arbennig hwnnw. Yr oeddem yn hedfan uwchben y gronfa ddŵr fwyaf a welais erioed, a daeth gorchymyn o'r *cockpit* blaen i mi greu troelliad ar unwaith. Yr oedd yn rhaid ufuddhau, ac i lawr â'r trwyn a'r troelliad gan anelu'n syth at ganol y gronfa. Yr oeddwn yn casáu'r troelli uwchben tir sych, ond uwchben llyn mor anferth o ddŵr, dim diolch! A choeliwch fi, yr oeddwn yn hynod falch, wedi i mi gwblhau'r tri throelliad angenrheidiol, o gael defnyddio'r *joystick* a'r *rudder* i sythu'r troelliad a dychwelyd i ddiogelwch uchelder. Digon diniwed, meddech chi, ond mae mor glir yn fy meddwl heddiw ag ydoedd saith deg o flynyddoedd yn ôl.

Ymhen rhyw bythefnos, yr oeddwn wedi cwblhau wyth awr o hedfan, ac wedi hen gynefino â'r hen awyren, ac yn teimlo'n bur hyderus. Un bore tyngedfennol, a minnau bellach yn feistr ar y *circuits and bumps*, ac yn gallu glanio'r awyren heb gymorth yr hyfforddwr, heb y *bumps* a oedd mor rheolaidd ar ddechrau'r cwrs, pan fyddai'r awyren yn glanio ac yn ymddwyn yn debycach i gangarŵ nag awyren. Y bore bythgofiadwy hwnnw yn 1941, ar ôl codi a glanio rhyw deirgwaith, troais drwyn yr awyren i'r gwynt, yn barod ar gyfer y bedwaredd *circuit*, ond er mawr syndod i mi, gwelais yr hyfforddwr yn agor ei strapiau diogelwch a neidio i'r llawr. Gwnaeth yn sicr fod ei strapiau ef yn ei *gockpit* wedi'u clymu'n ddiogel, a cherddodd ataf a dweud yn ei ddull tawel arferol, '*You are on your own now, Jones. You are perfectly capable of flying a few circuits on your own,*' a cherddodd i ffwrdd yn hamddenol. A dyna lle'r oeddwn yn fy *nghockpit*, ar fy mhen fy hun 'fel adyn ar gyfeiliorn', a'r *propeller* o'm blaen yn araf a disgwylgar. Yr oedd y *cockpit* blaen yn wag, a theimlwn braidd yn unig heb bresenoldeb yr hyfforddwr. Ond yr oedd wedi dangos ei fod yn berffaith fodlon i'm hanfon ar fy mhen fy hun, a 'mod i'n barod i gwblhau rhyw dair *circuit* yn ddiogel. Roedd ei hyder ef yn galondid i mi. Reit boio. Gwthiais y *throttle* ymlaen yn llyfn gan deimlo unwaith eto rymuster y peiriant oedd yn troi'r *propeller*. Gan ddefnyddio'r *rudder*, cadwais drwyn yr awyren yn berffaith syth, ac wedi cyrraedd cyflymder arbennig, tynnais y *joystick* yn ei ôl a theimlo unwaith eto'r awyren yn dringo i'r awyr. Dringais yn llyfn i uchder o bum can troedfedd cyn troi naw deg gradd i'r chwith a dringo i fil o droedfeddi. Yna troi naw deg gradd i'r chwith eto a chadw i'r uchder o fil o droedfeddi a'r cyflymder yn gyson. Yr oeddwn yn awr yn ehedeg trydedd ran y *circuit* cyn troi naw deg gradd i'r chwith eto, a disgyn yn araf trwy ddefnyddio'r *throttle* i bum can gradd a throi'r trwyn i'r gwynt unwaith eto. Popeth yn iawn hyd yn hyn, ond yr oeddwn yn awyddus i lanio'r awyren mor esmwyth â phosib. Dal i ddisgyn gan gadw golwg barcud ar y cyflymder a phan oeddwn yn teimlo fy mod yn barod i lanio, tynnu'r *joystick* yn ôl, a'r *throttle*, yna disgwyl am ychydig eiliadau a'm calon yn fy ngwddf cyn teimlo'r olwynion yn glanio'n esmwyth ar y cae.

Nid yw'r eirfa gennyf i ddisgrifio'r teimlad eithriadol o lawenydd ynof ar ôl cwblhau'r *circuit* gyntaf honno ar fy mhen fy hun, ac yn ddidramgwydd. Yr oeddwn wedi gwirioni ar ôl mynd *solo* mewn wyth awr yn hytrach na deg. Didrafferth iawn oedd y ddwy *circuit* ychwanegol a gwblheais, ac ar ôl glanio'r trydydd tro, cerddais mor hamddenol ag oedd bosib i'r adeilad lle byddem yn cyfarfod ein hyfforddwr unwaith eto. Anghofiais fod fy *mharachute* ynghlwm wrth fy nghefn, a sylweddolais fy mod yn cerdded yn debycach i hwyaden ar dir sych, ond chwarae teg, dim ond unwaith mewn oes y cawn brofiad fel hyn.

Yr oedd yr haul poeth yn tywynnu, a'r coed a'r adar bach, fel finnau, yn mwynhau'r awyrgylch. Gallem yn awr fynd am dro i lawr i'r pentref a mwynhau sgwrs a pheint yn y dafarn, a dychwelyd i'r maes awyr am fwy o *Morse* a *navigation* – a gemau tenis.

Mwynheais fy arhosiad yn Fairoaks yn fawr iawn, yn arbennig y profiadau newydd a ddaeth i'm rhan, ac yr oedd y tywydd a'r awyrgylch yn cwblhau'r hapusrwydd. Ond fel popeth arall mewn bywyd, daeth ein harhosiad i ben, ac anfonwyd ni gartref am bythefnos, lle treuliais fy amser yn mwynhau cwmni Nhad a Mam, perthnasau a chyfeillion, er nad oedd llawer ohonynt ar ôl. Ond erbyn hyn, nid bachgen ysgol oeddwn, ond darpar-beilot yn y RAF a wyddai sut i hedfan awyren ar ei ben ei hun.

Pan gyrhaeddais gartref y tro hwn, yr oeddwn yn berchen dau *gitbag*, y naill yn cynnwys dillad bob dydd, a'r manion anghenion hynny oedd yn rhan o fywyd bob dydd. Yr oedd y *kitbag* arall yn llawn o ddefnyddiau ar gyfer hedfan, gan gynnwys helmed a goglau; esgidiau arbennig (*flying boots*) o ledr, mwgwd nwy wrth gwrs, dau bâr o fenig, y naill o sidan gwyn a'r llall o ledr i gadw'r dwylo'n gynnes pan fyddem yn hedfan yn uchel; dau bâr o sanau gwlân, crysau trwchus o wlân, mwgwd *oxygen* ac yn y blaen. Ni fyddwn yn dadlwytho'r rhain ar ôl cyrraedd adref rhag ofn achosi poen i Mam.

Fel y disgwyliech, treuliais bythefnos ddelfrydol yn fy nghynefin. Roedd fy nghyfeillion oll ar wasgar – rhai, fel fi, yn y lluoedd arfog, eraill yn gweithio, felly byddwn yn crwydro'r llechweddau gyda'm gwn a'r hen sbaniel ffyddlon, Cymro. Chwilio am gwningod neu hwyaid gwylltion y byddai'r ddau ohonom ar gyfer y popty, gan fod cig yn brin iawn ar y pryd. Llywelyn fy ewythr, brawd Mam, oedd perchennog Cymro, a phan fyddai'r ci yn cael ei ryddhau yn y bore, byddai'n ei heglu hi i'n tŷ ni, ac os byddwn yn fy ngwely, byddai'n llithro'n llechwraidd i fyny'r grisiau a sefyll ar ei ddau droed ôl a'i bawennau blaen ar ddillad y gwely. Cawn groeso cynnes ganddo, a'i gynffon cwta fel melin wynt. Pan ffarweliais â'r hen gartref ar ddiwedd y pythefnos yn gynnar yn y bore, yr oeddwn wedi diflannu cyn i Cymro gyrraedd. Synhwyrodd fod rhywbeth o'i le pan sylweddolodd nad oeddwn yn fy ngwely, ac aeth i lawr i'r gegin lle'r oedd Mam yn eistedd a'm sliperi yn ei geg a'u gosod wrth draed Mam. Bu bron iddi dorri ei chalon.

Rhyw hanner can mlynedd yn ddiweddarach, o gwmpas 1995, yr oeddwn mewn cyfarfod yn Neondy Eglwys Gadeiriol Bangor. Yr oedd yno hefyd nifer o fyfyrwyr o'r Brifysgol, a chyn dechrau'r cyfarfod yr oedd pawb yn sgwrsio gyda'i gilydd. Gofynnais i un o'r myfyrwyr ble oedd ei gartref genedigol, ac meddai 'Fairoaks, Surrey'. Gallwch ddychmygu sut yr oeddwn yn teimlo. Gofynnais iddo a oedd y maes awyr yno o hyd? 'Pa faes awyr?' meddai. Wedi i mi egluro iddo fy niddordeb yn Fairoaks, dywedodd fod ei fam wedi dweud wrtho un tro am ryw faes awyr yn Fairoaks, 'ond erbyn heddiw,' meddai, 'mae cannoedd o dai wedi'u hadeiladu ar y cae hwnnw.' Y mae'n rhaid i'r hen fyd 'ma symud ymlaen, debyg.

Ar ôl ffarwelio â Fairoaks, a threulio pythefnos o *leave*, daeth y llythyr arferol i law o'r pencadlys gyda thocyn rheilffordd un ffordd, y tro hwn yn ôl i Fanceinion, nid i'r Brifysgol ond i Heaton Park, a'r gwersyll arferol, sef nifer o gytiau Nissen. Yr oedd tref Manceinion wedi bod yn darged i awyrennau'r gelyn – nid i'r un graddau â Lerpwl druan, ond yr oedd yma hefyd nifer helaeth o ynnau mawr, gydag aelodau o'r fyddin yn eu trin a'u tanio gan daflu ffrwydradau filoedd o droedfeddi i'r awyr pan fyddai awyrennau'r gelyn o gwmpas. Ochr yn ochr â'r gynnau mawr yr oedd llawer o chwiloleuadau gydag aelodau o'r fyddin, gwryw a benyw, yn eu trin. Os llwyddai un o'r rhain i ddal awyren yn ei golau llachar, ymhen eiliad byddai nifer ohonynt yn anelu i'r un fan, gan ddallu'r peilot a'i gwneud yn llawer haws i'n awyrennau rhyfel ni anfon yr awyren a'r criw i ebargofiant. Yr oedd un o'r gynnau anferth hyn wedi'i osod rhyw ganllath o'n cwt Nissen ni, ac ar ddau achlysur, taniwyd y gwn hwnnw. Yr oedd yn sŵn dychrynllyd, a byddai pobman o amgylch yn crynu i'w sail, gan gynnwys y cwt Nissen.

Ar wahân i'r gwn mawr, diflas iawn fu ein harhosiad yn Heaton Park – gwersyll ar gyfer dynion a merched *in transit* oedd hwn eto fel Llundain a Brighton. Byddem yn trefnu ambell gêm bêl-droed, a byddai llawer o 'chwarae cardiau' yn boblogaidd. Byddai cyfaill o'r Alban (Jock, wrth gwrs), yn fy hudo i'r cwrs golff ardderchog rhyw hanner milltir i ffwrdd. Yr oedd ef wedi'i fagu gyda'r gêm honno, a byddai'n taro'r bêl yn syth ac ymhell yn hollol ddidrafferth, ond pan fyddwn i yn ceisio taro'r bêl fach, byddai tywarchen yn codi i'r awyr fel ffermwr yn aredig, a'r bêl yn dal yn ei hunfan. Ni pharhaodd fy niddordeb yn y gêm yn hir iawn, ac yr oeddwn bron yn chwe deg oed cyn i mi ddechrau ei chwarae o ddifrif.

Greenock, Môr yr Iwerydd a Chanada

Ymhen rhyw bythefnos, cawsom orchymyn i godi'n paciau, oherwydd yn ôl y *grapevine*, yr oeddem ar ein ffordd i Greenock, porthladd enfawr ar arfordir gorllewinol yr Alban. Ni fyddai unrhyw swyddog na sarjant yn dweud wrthym yn bendant lle fyddai pen ein taith – yr oedd arwyddion ymhobman, '*Careless Talk Costs Lives*', a da o beth oedd hynny; ond yr oedd y *grapevine* yn bur gywir y rhan fwyaf o'r amser. Nid oeddwn wedi clywed sôn am le o'r enw Greenock yn fy mywyd, a dim ond unwaith y bûm yn yr Alban, pan oedd trip o'r ysgol yn mynd i'r Empire Exhibition yno yn 1938. Ond y mae'n rhaid ei fod yn lle pwysig, oherwydd ni fuasai'r awdurdodau yn caniatáu peryglu bywyd cannoedd o wŷr a merched ifanc yn y lluoedd arfog heb eu hanfon i'r canolfannau mwyaf diogel. Dyna oedd y sefyllfa yma, gyda channoedd ohonom yn teithio mewn trên dros nos i Greenock. Teithio ar drên dros nos oedd y dull arferol o anfon aelodau o'r lluoedd arfog i'w gwahanol wersylloedd i sicrhau na fyddai neb yn gwybod beth oedd eu symudiadau. '*Careless Talk Costs Lives*.'

Cawsom fwy o hanes Greenock ar ein ffordd yn y trên. Ymddengys ei fod yn borthladd pwysig iawn yn 1942, wedi'i sefydlu ar arfordir deheuol y Firth of Clyde, ychydig filltiroedd i'r gorllewin o Glasgow. Roedd dyfnder y dŵr yn addas ar gyfer llongau sylweddol eu maint, yn ogystal â *destroyers* a *cruisers* a dramwyai lwybrau'r moroedd i fugeilio'r llynges fasnachol rhag ymosodiadau bleiddiaid tanfor y gelyn.

Cyraeddasom Greenock yn fuan wedi trychineb Pearl Harbour, pan ddinistriwyd llynges yr Americanwyr gan y Japaneaid, a chynddeiriogi'r Americanwyr. Cyhoeddwyd rhyfel ganddynt ar unwaith yn erbyn y Japaneaid a'r Almaenwyr. Gwelsom fod harbwr Greenock yn cysgodi nifer o longau mawr yr Americanwyr a llongau distryw (*destroyers*). Yr oedd Greenock yn harbwr llawer mwy diogel na Southampton, Plymouth a Portsmouth ac yn arbennig Lerpwl, a oedd yn llawer rhy agos i feysydd awyr y gelyn yn Ffrainc.

Oherwydd ei ddiogelwch, edrychid ar Greenock fel porthladd delfrydol ar gyfer anfon miloedd o filwyr dros y dŵr bron i bob rhan o'r byd. Yr oedd yno longau teithwyr anferth o'r America, a fyddai'n cludo miloedd o deithwyr ar eu gwyliau cyn y rhyfel, ond yn awr roeddynt yn cael eu defnyddio i gludo milwyr, yn ddynion a merched, i wahanol rannau o'r byd. Gallent gludo cannoedd ar y tro heb drafferth, ac yr oeddent yn gyflym; ond collwyd nifer ohonynt dros y blynyddoedd. Collais Robin, hen gyfaill o Dal-y-sarn oedd ar ei ffordd i ogledd Africa ar un o'r rhain.

Pan gyraeddasom Greenock, ni chawsom gyfle i droedio strydoedd y dref, oherwydd yr oedd yn hwyr a thywyll, a rhuthrwyd ni ar fwrdd un o'r llongau ac i lawr i'w pherfedd. Yr oedd yn anferth o long, ac nid oeddwn wedi gweld ei thebyg o'r blaen. Yr oeddem rai llathenni o dan wyneb y môr. Cyflwynwyd ni i'n gwelyau crog (*hammocks*), rhywbeth newydd eto, ond nid gwely plu Tal-y-sarn oedd hwn, a phan fyddai'r llong yn teithio'n gyflym ar y môr diorffwys yn y nos, byddwn yn teimlo fel titw Tomos las ar frigyn bregus mewn gwynt cryf yn cael ei chwythu'n ôl a blaen, a byddai symudiadau o'r fath yn gymorth i Huwcyn cwsg. Yn ffodus, ni fu salwch môr yn boen i mi erioed.

Yr oedd pawb wedi derbyn gwregys achub, a defnyddiem hwnnw fel gobennydd i sicrhau mwy o gyfforddusrwydd. Yr oedd tua dau gant ohonom yn yr howld, ac yn nhrymder nos gallem glywed y môr, lathenni uwch ein pennau yn taro yn gryf yn erbyn y llong. Gwyddem yn iawn pe bai torpido yn llwyddo i'n taro, na fyddai gobaith ond i ryw lond llaw ohonom lwyddo i ddianc, oherwydd dim ond un ysgol gul oedd ar gael i ddringo i ddiogelwch y dec. Dyma lle teimlais wir ofn am y tro cyntaf (ond nid y tro olaf). Yr oeddem fel penwaig, a allai ar adegau achosi clawstroffobia. Dyma pryd y cofiais am y copi bychan o'r Testament Newydd a dderbyniaswn ar fy ymadawiad i'r RAF, ac er nad oeddwn wedi ei agor o gwbl yn y cyfamser, sylweddolais mai hwn oedd yr unig obaith oedd gennyf mewn uffern o le fel hwn, a phenderfynais ddarllen pennod o Efengyl Ioan bob nos cyn mynd i gysgu. Er nad oeddwn yn deall llawer o'r ddiwinyddiaeth, bu'n 'gymorth hawdd ei gael mewn cyfyngder' i mi.

Hyd yn oed dan amgylchiadau o'r fath yr oedd yn rhaid cadw'n lân, ac yr oedd eillio bob bore yn hanfodol, neu byddem yn derbyn llond ceg gan swyddog a dreuliai ei amser mewn rhan o'r llong oedd yn llawer mwy moethus a diogel. Derbyniem hynny'n ganiataol – wedi'r cyfan yr oedd gwahaniaeth mawr rhwng safle swyddog a phreifat.

Cyfeiriwch ataf fel llwfrgi os mynnwch, ond peidiwch

meddwl am eiliad fy mod yn cwyno, oherwydd yr oedd pob un ohonom yn yr un sefyllfa, a byddai llawer o chwerthin a thynnu coes yn ystod cyfnod ymolchi'r bore, yr 'abliwsions' fel y'i gelwid. Byddai pawb yn tyrru i 'molchi ac eillio ac roedd hon yn adeg ddelfrydol i sgwrsio a thynnu coes cyn gweithgareddau'r dydd.

Hamog neu beidio, cysgais yn drwm y noson gyntaf honno yn fy hamog ac ar ôl yr abliwsions dringais yr ysgol o'r howld i'r dec, ac anadlu, am y tro cyntaf ers oriau, awyr iach y môr. Pa le bynnag yr edrychem, yno oedd y môr, a dim arwydd o dir yn unman. Yr oeddem yng nghwmni dwy long Americanaidd anferth arall, gyda miloedd o ferched a gwŷr ifainc ar eu deciau yn mwynhau'r awyr iach. O'n cwmpas, gwibiai tua hanner dwsin o *destroyers* gan rannu'r tonnau yn ewyn gwyn yn eu prysurdeb. Nhw oedd y bugeiliaid, ninnau oedd y praidd. Ar yr un pryd, yr oedd gwyddoniaeth wedi rhoddi iddynt beiriant gwrando arbennig, a'u galluogai i wrando am unrhyw arwydd o bresenoldeb llongau tanfor y gelyn – yr ecoseiniaid (*echofinder*). Yr enw gwyddonol ar ddyfais o'r fath oedd ASDIC – Anti-Submarine Detection Indicator. Dyma'r ddyfais a drodd brwydr yr Iwerydd rhwng y *destroyers* a'r llongau tanfor, a oedd wedi achosi cymaint o ddifrod ym mlynyddoedd cynnar y rhyfel, yn llwyddiant pendant i'r llynges, yn arbennig pan ymddangosodd datblygiad o'r ASDIC yn ddiweddarach, sef y SONAR – Sound Navigation and Ranging. Gallai'r SONAR gynorthwyo ein llongau tanfor ni pan oeddent yn dilyn cwrs arbennig yn y dyfnderoedd, ac yn sicr, gallent ddangos yn union lle byddai llong danfor yn llechu.

Fel yr ymlwybrai'r llong fwy a mwy i'r de, byddem yn

cael cyfle i dorheulo ar y dec am oriau, yn gorweddian, ond gyda'n pennau ar y gwregys achub. Dyna oedd patrwm bywyd o ddydd i ddydd; abliwsions (mewn dŵr oer), brecwast, ac yna i fyny ar y dec cyn gynted ag oedd bosib. Y mae'n rhaid i mi gyfeirio at safon y bwyd ar y llong, yr oedd yn anhygoel. Wedi'r cyfan, llong Americanaidd ydoedd, ac yr oedd y morwyr Americanaidd yn mwynhau eu bwyd. Nid oeddem wedi gweld bwyd mor foethus â hwn erioed, hyd yn oed cyn y rhyfel. Gwydriad o sudd oren a phlatiad o fflapjacks yn dilyn. Math ar grempog oedd y fflapjacks, wedi'u gorchuddio mewn mêl – hynod flasus, yna platiad arall o wyau a chig moch. Paradwys o le oedd ein llong heb os. Yr oedd cinio o'r un safon ond gyda chynhwysion gwahanol. A dweud y gwir yr oeddem yn falch pan welsom fod y llong wedi newid cwrs ac yn hwylio i'r gogledd-orllewin, neu yn fuan iawn buasem mor dew â'r morwyr cyson.

Rwy'n meddwl mai ar fore'r chweched dydd y sylweddasom nad oedd y llong yn treiddio drwy'r dŵr fel y bu, a phan aethom allan ar y dec, y gwrthrych cyntaf a darodd y llygad oedd y Cerflun Rhyddid, y Statue of Liberty. Yr oeddem wedi cyrraedd harbwr Efrog Newydd, ac yn edrych ymlaen am ychydig o ryddid i weld peth o'r ddinas, ond siom a gawsom. Yr oedd rhai o'r teithwyr, mae'n amlwg, yn galw yn y ddinas ac ar eu ffordd efallai i Washington DC lle'r oedd pencadlys llywodraeth America.

Ffarwel America, cawn alw eto yn y dyfodol agos, efallai.

Dilynasom arfordir gogledd ddwyrain America nes cyrraedd Canada, a'r tro hwn, ar ôl glanio ym mhorthladd Halifax, daeth gorchymyn i ni hel ein traed a ffarwelio â'r llong a'i morwyr caredig a chroesawgar. Yr oedd y gwersyll yn Halifax yn anferth, ond yr oedd yn amlwg mai gwersyll *in transit* oedd hwn eto. Treuliasom rai dyddiau yma ac ni allwn gwyno, oherwydd yr oedd y bwyd a'r *billet* yn gyfforddus dros ben. Cawsom wybodaeth swyddogol gan swyddog mai pen y daith ar ôl gadael Halifax fyddai Miami – nid y Miami enwog a'i draethau euraidd a'i drigolion cyfoethog yn nhalaith Florida, yn bur agos i'r Everglades, cartref rhai cannoedd o grocodeilod ac aligator. Na, nid Miami Florida fyddai pen ein taith, ond tref fechan ddigon di-nod yn nhalaith Oklahoma. Yr oedd yno faes awyr sifil a fabwysiadwyd gan y llywodraeth Brydeinig i ddarparu peilotiaid ar gyfer y cannoedd o awyrennau oedd yn disgwyl amdanynt ym Mhrydain.

Yr oedd Halifax, Nova Scotia yn dref sylweddol fel y disgwyliech, gyda phorthladd a fuasai'n brysur ers amser maith. Oherwydd mai dros dro y byddem yn aros yn y dref, cawsom ganiatâd i grwydro fel fyd ag a fynnom yno, ac yr oedd hwn yn brofiad bythgofiadwy. Yr oedd siopau o bob math, a digonedd o fwytai, a bwyd gwerth chweil am bris hynod resymol. Gwahanol iawn i'r sefyllfa gartref. Yr oedd goleuadau llachar ymhobman, yn y tai, ar y ffyrdd ac yn y siopau, ac i mi, yr oedd hyn yn agoriad llygad, oherwydd hyd yn oed cyn y rhyfel, lampau nwy fyddai'r unig oleuni ym mhentref Tal-y-sarn, a hwnnw'n oleuni digon gwantan ar ei orau.

Dyma'r cyfle cyntaf a gawsom i ddod i gysylltiad â phobl o wledydd tramor, ac yr oedd y profiad hwn eto yn un cofiadwy iawn. Yr oedd trigolion y dref yn eithriadol gyfeillgar a chroesawus – wedi'r cyfan yr oedd rhai miloedd o'u plant nhw yng nghanol y drin ym Mhrydain. Yr oeddem yn deall ein gilydd i'r dim. Derbyniasom wahoddiadau fyrdd i gael prydau o fwyd yn eu cartrefi, a choeliwch chwi fi, ni allai trigolion Dyffryn Nantlle fforddio bwyd mor foethus â hwn hyd yn oed cyn y rhyfel. Tila iawn fu cyflog chwarelwyr erioed. Nid anghofiaf byth yr *apple pie and cream* a brynwn yn rhyfeddol rad yn eu tai bwyta.

Yn rhy fuan daeth y gorchymyn arferol, '*Come on lads, pick up your kitbags.*'

Halifax, Canada i Miami, UDA

Ffarwel Halifax gyfeillgar a chroesawus, efallai y 'cawn gwrdd yn y man'. Dyna ni unwaith eto ar y trên mwyaf a welais erioed yn cychwyn ar daith o rai cannoedd o filltiroedd o ddwyrain Canada i dalaith Oklahoma yn yr Unol Daleithiau. Ychydig iawn o gof sydd gennyf o'r daith hir a blinedig, nid oedd dim i'w wneud ond bwyta a chysgu – nid mewn gwely na hamog – ond eistedd yn ein seddi a'n pennau ar y bwrdd. Ond daw un noson i'r cof yn glir iawn. Yr oeddem wedi teithio trwy dalaith Efrog Newydd a Phennsylvania (talaith sy'n ddyledus iawn i'r Cymry am ei datblygiad, dan arweiniad arbennig y brodyr Lloyd a'u cyfoedion, y Crynwyr hynny a brynodd rai miloedd o aceri gan ddisgynnydd arall o Gymru, sef William Penn, i osgoi erledigaeth Eglwys Loegr). Y noson arbennig y cyfeiriais ati uchod, nid oedd Huwcyn cwsg wedi cyrraedd, a dyna lle'r oeddwn yn synfyfyrio, ac yn rhyw hanner cysgu, pan glywais gorn y peiriant yn canu, a'r sŵn yn diasbedain. Sylweddolais ar unwaith ein bod yng nghanol mynyddoedd, oherwydd yr oedd y sŵn yn adleisio o fynydd i fynydd, nes diflannu yn y pellter, yn union fel y byddai cyrn caniad chwareli Dyffryn Nantlle yn diasbedain drwy'r dyffryn ar ddiwedd diwrnod gwaith. Daeth pwl o hiraeth wrth i mi gofio rhai o linellau R. Williams Parry yn ei soned, 'Mae hiraeth yn y môr':

Gan ddeffro adlais adlais yn y brwyn,
Ac yn y galon atgof atgof gynt.

A'r llinellau olaf bythgofiadwy:

> ... nes o'r llechwedd draw
> Y cwyd un olaf ei leferydd ef
> A mwynder trist y pellter yn ei lef.

Nid hiraeth am y môr ddaeth drosof ar y pryd, ond hiraeth am rieni a chynefin.

Flynyddoedd yn ddiweddarach, gwelais mai mynyddoedd yr Allegheny, sef rhan o'r Appalachians oedd yn gyfrifol am y pwl o hiraeth dirdynnol hwnnw a ddigwydd o dro i dro.

Ar ôl ffarwelio â'r Allegheny, ymhen rhai oriau, cyraeddasom Miami, Oklahoma, ein cartref am y chwe mis nesaf. Fel y cyfeiriais uchod, maes awyr sifil fuasai Miami, ar gyfer tref Miami, cyn iddo gael ei fabwysiadu gan Brydain i hyfforddi darpar-beilotiaid. Nid gwersyll oedd hwn, ond nifer o adeiladau moethus, lle caem gysgu mewn gwelyau cyfforddus, a thŷ bwyta gyda phob math o fwydydd blasus. Yr oedd y maes awyr hwn yn wahanol iawn i'r gwersylloedd yr oeddem yn gyfarwydd â nhw ym Mhrydain.

Ond yr hyn a apeliai ataf fwyaf oedd cyfeillgarwch diffuant a chroeso'r trigolion lleol. Yr oedd tyrfa yn disgwyl amdanom pan gyrhaeddodd y trên orsaf Miami, ac yr oedd teuluoedd o'r dref wedi trefnu i fabwysiadu pob un ohonom, a'n derbyn fel aelodau o'u teulu. Bob Sul, os byddai dyletswyddau hedfan yn caniatáu, byddent yn disgwyl amdanom a phryd o fwyd ar y bwrdd nad oedd ond breuddwyd i drigolion fy mhentref genedigol. Yna yn ddieithriad, i ffwrdd â ni yn y car i weld llefydd o ddiddordeb.

Ond peidiwch meddwl mai cyfnod o wyliau oedd hwn. Yr oeddem yn gweithio'n galed i berffeithio ein hedfan, awr ar ôl awr, ddydd a nos, ac os nad oeddem yn hedfan, byddem yn gwrando ar ddarlithoedd yn ymwneud â pheirianwaith neu *navigation*. Yr oedd yn waith caled, yn waith blinedig, ac o edrych yn ôl, dim ond llanciau ifainc allai ddygymod â gwaith o'r fath.

Yr oedd pob un ohonom wedi treulio ychydig oriau mewn gwahanol feysydd awyr ym Mhrydain, ac wedi cwblhau cwrs a sicrhâi hedfan *solo*, ond yr hen Diger Moth oedd ein hawyren yno, gyda dwy adain, y naill uwchben y llall. Gwahanol iawn oedd y drefn yn Oklahoma. Nid awyrennau dwy adain oedd y rhain, ond un adain yn unig (*monoplane*), Y PT19 (Primary Trainer)

Treuliem oriau yn dysgu sut i drin yr awyren newydd, yn cwblhau rhai cannoedd o gylchedau a glanio (*circuits and landings*), yn ogystal â hedfan erobatig cyson. Hefyd, byddem yn dysgu sut i hedfan ar draws gwlad o dref i dref.

Ar ddiwedd y cwrs gyda'r PT19, cyflwynwyd ni ar unwaith i awyren a oedd yn debycach o ran ffurf i awyrennau rhyfel y cyfnod, sef yr AT6. Yr oedd yn llawer mwy pwerus ac yn galw am fedrusrwydd arbennig i'w thrin. Rwy'n cofio'n dda, dringo i'r *cockpit* am y tro cyntaf a gweld deialau na welswn eu tebyg erioed o'r blaen, a'r hyfforddwr yn ei ddull amyneddgar yn egluro pwrpas pob un. Ond gallai'r awyren hon fod yn bur beryglus, ac ni chaech odid ddim rhybudd pe baech yn gadael i'r cyflymder arafu gormod. Byddai'r trwyn yn disgyn fel fflach a'r awyren yn troelli'n gyflym, a alwai am fedrusrwydd arbennig iawn i'r rheoli. Byddai hyn yn digwydd pan fyddem yn lleihau'r cyflymder i ddisgyn yn ôl ar y *runway*. Byddai'r hyfforddwr yn ein rhybuddio dro ar ôl tro i fod yn ofalus wrth lanio'r awyren. Pe bai hyn yn digwydd yn yr uchelderau, ni fyddai o bwys, oherwydd byddai gennych ddigonedd o uchder rhyngoch â'r llawr i reoli'r troelliad, ond pe byddech yn rhy agos i'r lawr, dyna fyddai eich diwedd. Dyna ddigwyddodd i Pitts.

Ond os oeddech yn ei pharchu, yr oedd yr AT6 yn awyren ddelfrydol i ddarparu peilot ar gyfer awyrennau rhyfel. Yr oedd paent arbennig ar yr awyren i'w chuddio cyn belled ag oedd posibl rhag y gelyn.

Nid anghofiaf tra byddaf fyw'r cymysgedd teimladau wrth ddringo i'r *cockpit* am y tro cyntaf, cymysgedd o ofn a chynnwrf. Fy hyfforddwr oedd gŵr o dras Cymreig o'r enw Stephens. Yr oedd yn wahanol iawn i Pitts ac yn hyfforddwr ardderchog; siaradai yn dawel hyd yn oed pan fyddwn yn gwneud camgymeriad anfaddeuol; yr oedd ei weld ef yn y *cockpit* o'm blaen yn galondid a'i bresenoldeb yn creu hyder ynof.

Ar ôl treulio oriau yn y PT19, yr oedd hedfan yn yr AT6 yn deimlad hollol wahanol. Yr oedd yn llawer mwy pwerus, a gallem hedfan yn llawer uwch a chyflymach. Ni fûm yn hir cyn cael hedfan ar fy mhen fy hun, yn bennaf oherwydd arweiniad tawel fy hyfforddwr. Cefais yr un cyffro ag a gawswn yn Fairoaks pan welais Stephens yn disgyn o'r *cockpit*, a chyda rhybudd neu ddau, yn fy anfon ar fy mhen fy hun yn y peiriant pwerus yr oeddwn yn ei drin. A dyna ddechrau unwaith eto'r *circuits and bumps* bondigrybwyll.

Hawdd iawn fyddai gadael i'r meddwl lithro i gyfeiriadau eraill yng nghanol y *circuits*, ac fe fu bron i minnau wneud camgymeriad anfaddeuol. Yn wahanol i'r PT19, yr oedd olwynion yr AT6 yn godadwy (*retractable*), hynny yw, ar ôl gadael y ddaear, eich dyletswydd gyntaf oedd defnyddio lifar arbennig i osod yr olwynion yn eu nyth yn yr adain. Wrth lanio, defnyddiem yr un lifar i ostwng yr olwynion. Wrth ddychwelyd i lanio, anghofiais yn llwyr am ostwng yr olwynion, a chlywais lais cynhyrfus dros fy nghysylltiad radio yn bloeddio, 'Wheels down', droeon, a llwyddais i agor y *throttle* a rhuthro yn ôl i'r awyr. Gorfu i mi wneud deg *circuit* ychwanegol i sicrhau na fyddwn yn gwneud camgymeriad o'r fath byth wedyn.

Cyfeiriais uchod at y boddhad a gawn wrth hedfan yn yr AT6, ond fel pob boddhad cyffelyb, byddai rhywbeth yn sicr o fynd o'i le yn rhy aml. Dysgwr oeddwn o hyd, ac yn bur ddibrofiad wedi'r cyfan, a phan fyddai rhywbeth yn mynd o'i le, yr oeddwn yn ymateb i'r argyfwng yn llawer rhy araf oherwydd fy niffyg profiad, a gallai camgymeriadau o'r fath achosi damwain angheuol.

Gadewch i mi gyfeirio at un neu ddau o ddigwyddiadau o'r fath.

Oherwydd lleoliad Miami yng nghanol talaith Oklahoma, a'r dalaith honno yng nghanol gwlad anferth yr UDA, heb na mynydd na bryn na môr i'w weld yn unman, dim ond gwastadedd di-ben-draw, gallai'r tywydd fod yn eithriadol boeth yn yr haf, ac yn eithriadol oer yn y gaeaf. Pan fyddai'r gwynt o'r dwyrain yn chwipio ar draws y milltiroedd o baith, gallech ddisgwyl stormydd dychrynllyd o rew ac eira trwchus.

Yr oedd ymarfer hedfan yn y nos yn rhan bwysig iawn

o'r cwrs hedfan, a phan fyddem yn tynnu at derfyn y cwrs, byddem yn hedfan yn y nos yn amlach, ac amlach, ac yn hedfan ar draws gwlad am oriau. Dyma un rhan o'r cwrs nad oedd yn apelio ataf o gwbl, a byddwn bob amser yn falch o weld goleuadau'r erodrom yn fy nghroesawu'n ôl.

Un noson oer a gwyntog ym mis Ionawr 1943, yr oedd yr erodrom dan drwch o eira, ac o'r herwydd rhoddwyd caniatâd i ni fynd i dref Miami i fwynhau ein hunain. Yr oedd hyn yn rhywbeth anarferol iawn, oherwydd, coeliwch fi, gwnaed defnydd o bob awr i gwblhau'r cwrs mewn pryd.

Talaith 'sych' oedd Oklahoma, yn gwahardd yn gyfan gwbl alcohol o unrhyw fath, a byddai dirwy drom i unrhyw berson a dorrai'r ddeddf. Tra oeddem yn eistedd mewn caffi cynnes yn y dref yn yfed Coke ac yn mwynhau ein rhyddid prin, cyrhaeddodd bws yr erodrom a galwyd ar bawb i ddychwelyd i'r erodrom ar unwaith. Dyna siom. Ond yr oedd yn rhaid ufuddhau. Yr oedd y gwynt wedi gostegu a'r awyr yn glir, ac ymhen ychydig funudau, yr oedd pob un ohonom wedi gwisgo ein dillad hedfan ac yn gwrando ar y prif swyddog yn dweud wrthym i ble yr oeddem i hedfan y noson honno. Oherwydd gerwinder y tywydd, yr oedd ein taith draws gwlad ychydig yn fyrrach y noson honno, ond yr oedd yn rhaid edrych yn fanwl iawn ar y map oherwydd yr oedd yr eira ar y llawr yn cuddio unrhyw arwyddion yr oeddem yn gyfarwydd â nhw. Cynghorwyd ni gan y swyddog a oedd yn gyfrifol i edrych yn fanwl ar y trefi yr oeddem yn hedfan drostynt, yn arbennig y goleuadau, oherwydd y goleuadau hyn a sicrhâi ein bod ar y trywydd cywir.

Eisteddais yn yr AT6, ac wedi cychwyn y peiriant er mwyn

ei chynhesu, astudiais yn fanwl y deialau ar y panel o'm blaen, i wneud yn sicr fod popeth yn ei le. Yr oedd yn rhaid cael llygad barcud i astudio'r deialau, er mwyn sicrhau na fyddai'r goleuni yn ein dallu wrth hedfan. Yr oedd tymheredd y peiriant yn gywir, digon o betrol yn y tanc a chyflwr y *propeller* yn gywir. Troais ei thrwyn i'r gwynt a'r tywyllwch, agorais y *throttle* mor llyfn ag y gallwn a rhoi fy nhraed ar y *rudder*, ac i ffwrdd â mi i'r tywyllwch dudew a'r eira.

Llwyddais yn ddigon didrafferth i gwblhau'r siwrnai draws gwlad, ond yr oedd fy nghalon yn fy ngwddf y rhan fwyaf o'r amser. Ceisiwn reoli cyflymder yr awyren a'r uchder, trwy gyfrwng y deialau o'm blaen, ond ar yr un pryd, yr oedd yn rhaid gwneud yn siŵr fy mod ar y trywydd cywir bob amser. Yn sicr nid dyma'r noson i fynd ar goll.

Mor falch oeddwn o weld goleuni'r *runway* o'm blaen. Galwais ar y radio am ganiatâd i lanio, a daeth llais hyderus yn ôl i'm sicrhau fod pobman yn glir. Iawn. Chwiliais am y ddau olau coch a gwyrdd, ond nid oedd sôn amdanynt; golygai hyn naill ai fy mod yn rhy uchel neu yn rhy isel. Rhoddais bob gewyn ar waith i sicrhau fod y cyflymder yn gywir, oherwydd erbyn hyn yr oeddwn wedi lleihau'r cyflymdra wrth lanio, a dyma lle'r oedd y perygl. Ni allwn yn fy myw weld y goleuadau coch a gwyrdd, a dyna pryd y rhoddais y ffidil yn y to, a cheisio dibynnu ar oleuadau'r *runway* i'm harwain i mewn. Nid oedd dewis bellach ond parhau i leihau'r cyflymdra drwy drin y *throttle*, a thynnu'r *joystick* yn ôl i lefelu'r awyren. Ond ni theimlais yr olwynion yn cyffwrdd y ddaear, ac y mae'n amlwg fy mod yn rhy uchel ac wedi lefelu'r awyren yn rhy fuan, fel ei bod yn mynd yn ei blaen, ond ar yr un pryd yn disgyn fel bricsan. Ac fel bricsan y glaniodd o'r diwedd, er mawr ryddhad i mi.

O edrych yn ôl, yr wyf yn sicr y buasai'r hen awyren wedi dioddef niwed difrifol oni bai am y trwch o eira ar y ddaear. Yr eira oedd fy ngwaredwr y noson honno yn ddi-os.

Hoffwn gyfeirio at ddigwyddiad arall ar ddiwedd ein cwrs hedfan. Yr oedd yn orfodol i bob un ohonom gwblhau yn llwyddiannus daith draws gwlad hir, i brofi y byddem yn haeddu'r 'Wings' yr oeddem mor awyddus i'w hennill. Yr oedd llwyddiant yn hanfodol, oherwydd pe bai rhywun yn methu cwblhau'r daith draws gwlad yn llwyddiannus, yna byddai'r swyddogion yn penderfynu a oedd y person hwnnw yn addas i hedfan. Gallwch ddychmygu ein bod yn bur nerfus pan wawriodd y diwrnod tyngedfennol hwnnw.

Yr oedd yn ddiwrnod hyfryd, heulog, heb ormodedd o wynt (a allai achosi problemau wrth geisio darllen y map yn gywir). Ond yr oeddem i hedfan o Miami, a chwblhau tri rhediad i dair tref ar ffurf triongl. Yr oedd y rhediad cyntaf i dref Tulsa. Yn anffodus, nid wyf yn cofio enw'r ail dref, ond yr oedd pob un ohonom yn bur hyderus oherwydd y tywydd delfrydol.

Yr oeddwn yn hedfan ar uchder o bum mil o droedfeddi, ac yr oedd hyn yn rhoi cyfle i mi weld yn eglur yr afon neu'r rheilffordd neu'r ffordd a ymddangosai ar y map i ddangos fy mod yn dilyn y cwrs cywir. Popeth yn iawn. Ar ôl cyrraedd Tulsa, a sicrhau mai Tulsa ydoedd, troais i'r pwynt angenrheidiol ar y cwmpawd a hedfan yn bur hyderus i gyfeiriad y dref nesaf. Yr oeddwn, mae'n amlwg, yn rhy hyderus, oherwydd ymhen rhyw awr, sylweddolais yn sydyn nad oedd gennyf syniad lle'r oeddwn i ar yr ail rediad. Mae'n rhaid fy mod wedi caniatáu i'm meddwl grwydro, ac yr oedd hyn yn anfaddeuol; yr oeddwn wedi anghofio gorchymyn yr hyfforddwr i ganolbwyntio gant y cant ar hedfan yr awyren yn hytrach na gadael i'r meddwl grwydro. Nid oedd gennyf syniad o'm lleoliad, ac nid oedd y map a oedd ynghlwm wrth fy nghlun o ddim cymorth i mi chwaith, oherwydd nid oeddwn yn gwybod ble i edrych. Nid oedd dim i'w weld ond gwastatir di-ben-draw i bob cyfeiriad, ac nid oedd dim ar y ddaear a allai roddi arweiniad i mi. Gwelwn fy ngyrfa fel peilot yn y RAF yn prysur ddiflannu o flaen fy llygaid, oherwydd yr oeddwn ar goll, ac yn waeth na hynny, sylweddolais fod y petrol yn y tanc yn lleihau yn rhy gyflym.

Nid oedd sefyllfa o'r fath yn anghyffredin yn ôl yr hyfforddwr, a gallai peilot profiadol ddarganfod ei hun yn yr un sefyllfa. Yr ateb, meddai, oedd dod o hyd i dref fechan, oherwydd yn ddieithriad, byddai tanc dŵr anferth i'w weld o bell mewn tref o'r fath, ac enw'r dref mewn llythrennau breision arno.

Gallai'r enw ar y tanc fy arwain yn ôl i Miami – efallai. Yr oeddwn yn bur bryderus erbyn hyn, oherwydd fy ffolineb yn gadael i'm meddwl grwydro fel y gwnaeth. Gwelwn fy hun yn cael fy ngwrthod yn bendant fel darpar-beilot gan y swyddogion. Oherwydd bod y petrol yn achosi poen meddwl, yr oeddwn yn prysur chwilio am le i wneud glaniad argyfwng (*emergency landing*), ond yn wir i chwi, fel pe bai ffawd o'm plaid, gwelais danc dŵr yn y pellter, tu allan i dref fechan, a gwelais fod ysgrifen ar y tanc. Fel y nesawn gwelwn nad enw tref oedd ar y tanc. Fel hyn yr ymddangosodd disgrifiad byr o'r digwyddiad yng nghylchgrawn yr erodrom:

James J. Hume instructs his students, when they lose their bearings, to swoop by city water towers and read the inscription thereon. LAC Cledwyn Jones tried this method recently, only to read, 'Go to Church Sunday'.

Nid oedd y geiriau ar y tanc yn gymorth i mi o gwbl, a suddodd fy nghalon i'r gwaelodion. Ond yn sydyn, cofiais sgwrs a glywswn rhwng dau hyfforddwr, yn cyfeirio at y tanc arbennig hwn, a chofiais innau enw'r dref a grybwyllwyd ganddynt. Cyn bo hir yr oeddwn yn glanio ar *runway* Miami. Yr oeddwn tua dwyawr yn hwyr, a'r tanc petrol bron yn wag. Ni allwn osgoi fy nghamgymeriad anfaddeuol, oherwydd gwyddai'r hyfforddwyr yn iawn yr amser angenrheidiol i gwblhau'r daith, a hefyd faint o betrol a ddylai fod yn y tanc.

Yn ffodus, cefais ail gynnig i hedfan traws gwlad y diwrnod canlynol, a gallaf eich sicrhau i mi ganolbwyntio gant y cant ar hedfan o A i B ac yna C. Y tro hwn llwyddais yn ddigon didrafferth, a maddeuwyd i mi fy ffolineb.

Diolch am grefyddoldeb y dref fach a'r hysbyseb, '*Go to Church Sunday*', a diolch i'm clustiau am glywed sgwrs y ddau hyfforddwr yn trafod y tanc crefyddol. Dim ond dau ddigwyddiad o nifer ydyw'r uchod – mae nifer o hanesion tebyg na allaf eu hadrodd, ac eraill a aethant i ebargofiant i ganlyn enw ambell un.

Ar ôl eistedd arholiad ysgrifenedig caled, yr oedd fy enw ar restr y mwyafrif ohonom a lwyddodd i ennill ein *Wings*, a'r wythnos ddilynol, trefnwyd parêd arbennig, lle gosodwyd y *Wings* ar ein siaced las o dan yr ysgwydd chwith. Yr oedd pob un ohonom yn eithriadol falch o'n llwyddiant, yn sefyll ar y sgwâr gyda sglein ar ein hesgidiau a botymau ein gwisg unffurf, ac ymdeithio fel un oddi yno.

Cyn ffarwelio â Miami, hoffwn gyfeirio unwaith eto at gyfeillgarwch a charedigrwydd diffuant trigolion y dref a'r ardal, a chefais gyfle, flynyddoedd yn ddiweddarach, i ddiolch yn gyhoeddus i drigolion o Miami pan oeddwn yn darlithio i amryw ohonynt mewn un o Ysgolion Haf Prifysgol Cymru, Bangor yn ystod yr wyth degau a'r naw degau.

Nid oedd problem hil o gwbl yn Oklahoma, oherwydd yr oedd llawer o briodasau wedi cymryd lle rhwng pobl wyn ac Indiaid Cochion o wahanol lwythau a drigasai ar y gwastadedd ers canrifoedd.

Rwy'n cofio teithio o Miami i Chicago yn nhalaith Michigan, Nadolig 1942, ar yr oedd llawer o deuluoedd du eu croen yn teithio gyda ni, ond pan gyrhaeddodd y trên ffin Michigan, cododd y du eu croen ar unwaith a symud i gerbyd lle nad oeddent yn cymysgu â'r gwyn eu croen. Dyna oedd y drefn bryd hynny.

Ar y cyfan, mwynheais fy arhosiad yn BFTS Miami yn fawr iawn, a phan adawodd y trên yr orsaf ar ein ffordd yn ôl i Ganada, dilynwyd ni gan nifer o awyrennau AT6 yn ffarwelio â ni yn eu dull arferol, a'r rheiny yn hedfan yn beryglus o isel. Ffarweliais gyda lwmp yn fy ngwddf.

Dychwelyd i'r drin

Rwy'n cofio'n dda'r ffarwel bendigedig a gawsom gan drigolion Miami, gyda thyrfa ohonynt wedi dod i'r orsaf i ddymuno'r gorau i ni ac ysgwyd llaw pawb. Yn anffodus, nid wyf yn cofio dim o'r daith yn ôl i Monkton yng Nghanada. Yr oedd pawb yn dyheu am ddychwelyd adref.

Pan adawsom Miami, yr oedd yn fore heulog, cynnes a chyraeddasom Monkton pan oedd eira'r gaeaf yn dechrau meirioli. Yr oedd yn eithriadol oer, a gorfu i nifer ohonom fynd at y meddygon oherwydd annwyd trwm, nid yn y pen fel arfer, ond ar y frest, ac yn ôl y meddygon gallai annwyd o'r fath ddatblygu yn *pneumonia*.

Yn ffodus, byr iawn fu ein harhosiad yn Monkton y tro hwn, a gallwch ddychmygu mor gynhyrfus oeddem pan glywsom ein bod ar ein ffordd i borthladd Halifax a Môr yr Iwerydd unwaith eto – a Thal-y-sarn. Croeswyd Môr yr Iwerydd yn hollol ddidrafferth, heb osgordd o *destroyers* i'n hamddiffyn, oherwydd yr oedd brwydr y llynges yn erbyn y llongau tanfor yn llawer mwy llwyddiannus nag yn y gorffennol, a'r llong oedd yn ein cludo yn llawer mwy ei maint ac yn llawer cyflymach. Ond O! yr oedd pob diwrnod fel mis, a phob awr yn llusgo.

Un bore hyfryd ar ein taith, ar ôl gadael ein hamogau i lawr ym mherfedd y llong a dringo'r ysgolion i gyrraedd y dec ac awyr iach, beth welais trwy dawch y bore, ond rhai o fynyddoedd gogledd Cymru, wrth i'r llong hwylio'n llawer arafach erbyn hyn i borthladd Lerpwl. 'Cymru fach i mi . . .'

Ar ôl glanio, cludwyd ni ar unwaith i westy yn Harrogate a fuasai cyn y rhyfel yn un moethus iawn, ond erbyn i ni gyrraedd, yr oedd y llywodraeth wedi ei fabwysiadu ar gyfer dynion ifainc fel ni. *In transit* unwaith eto.

O'r diwedd derbyniais docyn un ffordd i Ben-y-groes, ac ni allwn gyrraedd yr orsaf gyda'm dau gitbag yn ddigon buan. I ffwrdd â mi i Gaer, a disgwyl yn hir yn y fan honno am y trên i Gaergybi o Lundain. Golygai hynny y byddai'n rhaid i mi newid trên ym Mangor, a gwyddwn yn iawn y byddai'n rhaid i mi ddisgwyl yn hir ym Mangor am y trên cyntaf i Afon-wen (y '*Mail*' fel y galwem ni hi). Fel arfer, yr oedd y trên o Lundain yn hwyr yn cyrraedd Caer, yn arbennig yn ystod y rhyfel, ond nid oedd hyn o bwys i mi, oherwydd yr oeddwn ar fy ffordd i'm cynefin.

O'r diwedd, cyrhaeddais Bangor tua dau o'r gloch y bore, a threuliais y tair awr nesaf yn yr YMCA rhyw ganllath o'r orsaf, lle derbyniais groeso cynnes – yn Gymraeg – gan y wraig oedd yn gwneud te neu goffi a brechdan Spam i bawb mewn iwnifform.

Ac yno y deuthum ar draws yr hen Guto Wyn. Yr oedd o a minnau wedi bod yn yr un dosbarth yn Ysgol y Cyngor Tal-y-sarn. Yr oedd wedi ei eni a'i fagu yn Hafodlas Uchaf, tyddyn bychan ar y llechwedd ogleddol gyda golygfa fendigedig o'r pentref, mynyddoedd Eryri gan gynnwys yr Wyddfa, ac yn y pellter glan môr Dinas Dinlle. Yr oedd Guto yn hen gyfarwydd â thrin yr ychydig ddefaid a'r ddwy fuwch yn eu meddiant, ac yn gwybod yn iawn sut i gorddi a gwneud menyn ffres – ond yr oedd yr ABC yn ddirgelwch iddo. Yr oedd bron yn hollol anllythrennog. Yr oedd y *2x table* yn fwy o ddirgelwch byth iddo, ac ysgrifennu allan o'r cwestiwn. A dyma fo, yn yr YMCA ym Mangor yn oriau mân y bore. Ond yr oeddwn yn hoff iawn o Guto, gyda'i wên barhaol.

Sôn am groeso! Ni fu croeso tad y Mab Afradlon i'w fab hanner mor gynnes â chroeso Guto'r bore hwnnw. 'Sut wyt ti, Cled? Wyt ti'n mynd adra?' gofynnodd. 'Os wyt ti, ga' i fynd efo chdi?' 'Wyt ti wedi bod yma'n hir?' gofynnais. 'Do 'chan,' oedd yr ateb, 'rydw i wedi bod yma ers hanner dydd ddoe.' Mae'n anodd credu fod Guto wedi teithio, gyda'i ddau gitbag, yr holl ffordd o ogledd Affrica fel aelod o'r Pioneer Corps i orsaf Bangor, ac wedi teithio'n ôl a blaen o Fangor i Sir Fôn drwy'r prynhawn am na allai ddarllen yr amserlen a ddangosai amser y trên i Afon-wen. Pan gyrhaeddodd y *Mail* am bump o'r gloch y bore gosodais Guto yn daclus wrth fy ochr yn y cerbyd trên, ac ni ynganodd air yr holl ffordd i Ben-y-groes, dim ond ochenaid o ryddhad o wybod ei fod, o'r diwedd, ar y *last lap* fel petai, cyn cyrraedd paradwys Hafodlas Ucha'. Cymerodd beth amser i'r trên deithio o Fangor i Ben-y-groes, oherwydd byddai'n aros ymhob gorsaf ar y ffordd i ddadlwytho newyddiaduron y dydd a nwyddau o bob math. Gadawsom y Felinheli, Caernarfon, Llanwnda a Dinas cyn cyrraedd pen ein taith. Sefais ar y platfform am rai munudau i werthfawrogi heulwen haf yn ymddangos dros grib yr Wyddfa. Roeddwn adref ac yn fy nghynefin o'r diwedd.

Penderfynodd Guto gerdded adref ar hyd yr 'hen lôn', ac wedi ysgwyd llaw, i ffwrdd â fo. Cerddais innau'n bur araf ar hyd y ffordd isaf i gyfeiriad Tal-y-sarn gyda phac ar fy nghefn a dau gitbag anferth ar f'ysgwyddau. Pan gyrhaeddais resiad tai Creigiau Mawr, clywais sŵn bws yn dod o gyfeiriad Tal-y-sarn, yn cludo nifer o ddynion i'w gwaith yn ffatri Ferodo yng Nghaernarfon. Erbyn hyn, yr oedd gweithio dan do yno yn llawer haws na gwaith caled y chwareli, a'r cyflog yn llawer gwell. Nid oeddwn yn gweld bai arnynt o gwbl. Arhosodd y bws yn stond wrth fy ymyl, a phwy gerddodd allan ohono ond fy nhad. Nid oeddem wedi gweld ein gilydd ers dros flwyddyn, ac unwaith eto daeth yr hen lwmp i'r gwddf. Ni allwn ddweud gair am ychydig funudau, ac yntau'r un modd rwy'n siŵr. Yr oedd yn awyddus i ddweud ffarwel wrth Ferodo y diwrnod hwnnw, ac am gario fy nau bac adref, ond gwrthod wnes i. Hyfryd oedd clywed Cymraeg y dynion yn byrlymu o grombil y bws a phawb yn codi llaw wrth iddynt gychwyn i'w gwaith. Nid oeddwn wedi clywed gair o Gymraeg nes cyfarfod Guto Wyn ym Mangor, a dyma fi'n awr heb air o Saesneg i'w glywed yn unman.

Rwy'n siŵr fy mod innau fel llawer bachgen arall o'r dyffryn wedi achosi llawer o boen meddwl a gofid dirdynnol i'm rhieni yn ystod fy absenoldeb – i Mam yn arbennig. Flynyddoedd yn ddiweddarach, pan fu hi farw, yn hytrach na dewis adnod addas o'r Beibl, dewisais destun un o sonedau mawr R. Williams Parry i'w arysgrifennu ar ei charreg fedd, sef 'Mater Mea' (fy mam) (gw. *Yr Haf a Cherddi Eraill*, t. 100). Dyma chwechawd olaf y soned:

Ond un yn llewygfeydd gwylfeydd y nos
Ni chaffai ddim hyfrydwch yn ei fri,
Wrth wylo am ddwylo llonydd yn y ffos,
Ar ddwyfron lonydd dros dymhestlog li,
Gan alw drwy'r nos arw ar ei Christ,
Ac ar ei bachgen drwy'r dywarchen drist.

Teimlais fod y geiriau uchod yn llawer mwy addas i

ddisgrifio teimladau personol Mam na geiriau gwrthrychol y Beibl (gyda phob parch).

Pan gyrhaeddais rif 14 Eivion Terrace, yn annisgwyl mewn gwirionedd, yr oedd ymateb fy mam yn annisgrifiadwy ar wahân i'r chwerthin a'r wylo, nid wylo trist, ond wylo rhyddhad misoedd o boen meddwl debygwn i.

Treuliais bythefnos o fwynhad na fu ei debyg cynt na chwedyn yng nghwmni fy nhad a mam, perthnasau a ffrindiau, er bod y mwyafrif o'm ffrindiau naill ai yn y lluoedd arfog neu mewn ffatrïoedd yng nghanolbarth Lloegr. Crwydrais yr hen lwybrau yr oeddwn mor gyfarwydd â nhw, y llechweddau gogleddol lle trigai chwarelwyr gyda'u defaid a rhyw ddwy fuwch a dau neu dri chae, a bron pob un ohonynt yn dal i gorddi a gwerthu menyn ffres am ddau swllt, a llaeth enwyn. Nid oes dim tebyg i datws llaeth, un o ffefrynnau'r chwarelwyr. Crwydrais hefyd, gyda'r hen Gymro wrth fy sawdl, y llechweddau deheuol trwy goed cyll y Cymffyrch i gyfeiriad cartref genedigol Silyn Roberts, ewythr Mathonwy Hughes. Hedfan awyren? Breuddwyd ydoedd. Rhyfel? Pa ryfel? Nid oedd sŵn awyrennau'r gelyn ar eu ffordd i ddinistrio Lerpwl yn bodoli mwyach, dim ond awyrennau yn hedfan o faes awyr y Fali ym Môn a dorrai ar y tawelwch.

Yn anffodus, canlyniad pob breuddwyd ydyw'r deffro a realiti bywyd. Fel y disgwyliwn, cyrhaeddodd y llythyr arferol bondigrybwyll, a'r tocyn un ffordd i Firmingham a maes awyr Elmdon – i hedfan Tiger Moths unwaith eto a hedfan yma ac acw i gynefino â gwlad wahanol iawn i wastatir Oklahoma gyda'i ffyrdd gogledd – de – dwyrain –gorllewin. Yr oedd blacowt ymhobman, yn wahanol iawn i'r goleuadau ym Miami, ac yr oedd hedfan yn y nos yn llawer mwy anodd a pheryglus, oherwydd yr oedd tywyllwch dudew ymhobman. Roedd yn rhaid dibynnu'n gyfan gwbl ar y cwmpawd, y deial cyflymder a'r deial a ddangosai uchder yr awyren. Yr oedd y deialau hyn yn bur aneglur, yn bwrpasol felly, oherwydd byddai goleuadau llachar yn y *cockpit* yn rhoi cyfle i awyrennau ymladd y gelyn i'ch dinistrio. Byddai carfan fechan o Me.109, Me.110 a Fokker Wolf yn prowla o gwmpas yr erodromau yn disgwyl i'n hawyrennau ni ddychwelyd i lanio, felly yr oedd unrhyw oleuni yn beryg bywyd. Na! Yr oedd Prydain yn 1943 yn dra gwahanol i Miami, Oklahoma.

Nid oedd Elmdon yn erodrom ymgyrchol, a chefais alwad un diwrnod i fynd i erodrom o'r enw Holme-on-Spalding Moor, rhyw ddeng milltir ar hugain o ddinas Efrog. Oherwydd ei hagosrwydd i arfordir dwyreiniol Prydain, ac felly yn bur agos i'r cyfandir, yr oedd hon wedi bod yn erodrom bwysig ers dyddiau cynnar y rhyfel. Yr oedd arfordir dwyreiniol Prydain yn frith o erodromau o'r fath, a'r mwyafrif ohonynt yn llawn o fomwyr pedwar peiriant fel y Lancaster a'r Halifax. O'r erodromau hyn yn 1943, byddai mil a mwy o awyrennau yn hedfan dros y cyfandir bob nos o'r wythnos i ollwng tunelli o fomiau dinistriol ar y gelyn.

Yr oedd prysurdeb y lle yn agoriad llygad i mi, gyda mecanyddion yn gwneud yn sicr y byddai'r peiriannau yn barod ar gyfer y noson honno, a chriwiau eraill yn cludo bomiau i'w gosod yn daclus ym mherfedd yr awyrennau. Eraill yn sicrhau fod y gynnau yn y tyredau yn tanio'n gywir. Yr oedd dau dyrred ar yr Halifax, gyda llaw, un hanner ffordd ar hyd corff yr awyren a'r llall y pen pellaf oddi wrth y peilot, lle byddai'r '*tail end Charlie*' yn treulio oriau ar ei ben ei hun – a'r lle peryclaf yn yr awyren. Yr oedd un gwn yn y *perspex* ar y blaen lle byddai'r bom-anelwr yn gorwedd pan fyddai uwchben y targed. Ond nid oedd gwn o gwbl o dan gorff yr awyrennau hyn, ac yn fuan iawn, sylweddolodd peilotiaid awyrennau ymladd yr Almaenwyr hyn. Gallai awyrennau ymladd y gelyn lithro yn llechwraidd o dan eu targed heb unrhyw ymateb, oherwydd ni wyddai neb eu bod yno. Byddent yn achosi difrod eithriadol trwy saethu i gyfeiriad y bomiau.

Bore hyfryd ym mis Mai 1943 ydoedd. Erbyn hyn yr oedd y dydd yn ymestyn gryn dipyn, ac yr oedd yn orfodol arnom aros nes byddai'r nos wedi cyrraedd cyn cychwyn ar ein siwrne. Ar y pryd, nid oeddwn yn gyfarwydd iawn â beth oedd y drefn arferol mewn erodrom bwysig fel hon. Ond y cam cyntaf oedd cyfarfod, ar gyfer y peilot a'r *navigator* yn unig, yn yr ystafell gyfarwyddo, y *briefing room*. Yr oedd fy nghalon yn curo fel drwm mawr Seindorf Arian Dyffryn Nantlle. Yn yr ystafell gyfarwyddo, byddai swyddog arbennig, cyfeillgar yn dangos inni beth fyddai'r targed y noson honno. Ar y mur y tu ôl iddo yr oedd map anferth, ac y mae'n amlwg y byddai wedi gwneud ei waith yn fanwl yn astudio'r map cyn dyfod atom i'n cyfarwyddo. Yr oedd ef wedi cael profiad yn nyddiau cynnar y rhyfel o hedfan dros y cyfandir, a gallem ymddiried yn ei allu i'n cyfarwyddo mor gywir ag oedd bosib y ffordd fwyaf diogel i osgoi gynnau gwrthawyrennol y gelyn (ac yr oedd cannoedd ohonynt pa darged bynnag yr anelech ato). Yr oedd ei swydd ef yn un gyfrifol iawn.

Yn ei ddilyn ef byddai swyddog arall yn ymddangos, ac yr oedd ei swydd yntau mor bwysig os nad pwysicach na'r swyddog cyntaf. Ef fyddai'n gyfrifol am ddatgelu rhagolygon y tywydd ar y daith. Yr oedd gwybodaeth gywir am hyn yn eithriadol bwysig, ac ar y cyfan, byddai'r wybodaeth a dderbyniem yn bur gywir. Ond gall y tywydd fod yn anwadal iawn, ac er holl ddarpariadau manwl a chydwybodol y swyddog meterolegol hwn, ni allai fod yn gwbl sicr o'i bethau. Un noson, cyn i mi gyrraedd Holme, aeth rhai cannoedd o'n hawyrennau i ollwng eu bomiau ar dref Dresden. Yn ôl y rhagolygon a dderbyniasant, yr oedd yn gymylog dros yr Almaen, a'r tywydd yn ddelfrydol i osgoi awyrennau ymladd y gelyn. Ond yn anffodus, yr oedd y tywydd yn anwadal iawn, a phan gyrhaeddodd yr awyrennau'r cyfandir, nid oedd cwmwl yn yr awyr, a'r lleuad ddisglair yn ei gwneud yn hawdd i awyrennau'r gelyn ddarganfod eu hysglyfaeth. Y noson honno oedd un o'r nosweithiau mwyaf trychinebus yn hanes y bomwyr, os nad y fwyaf trychinebus yn hanes y RAF. Dinistriwyd naw deg pump o'n bomwyr, ac ar gyfartaledd criw o saith ym mhob un. Collwyd yn agos i saith gant o ddynion ifainc rhwng deunaw a phump ar hugain y noson honno. Gallwch ddychmygu effaith seicolegol trychineb o'r fath ar y criwiau.

Yr oedd rhai cannoedd ohonom yn Holme-on-Spalding Moor ac nid oedd newydd drwg o'r fath yn gymorth i'r hyder o gwbl. Byddwn yn gofyn i mi fy hunan yn aml, 'Fydda i yma 'fory?' a thu ôl i bopeth yr oedd ofn. Hyd yn oed os byddai'r ofn yn diflannu dros dro ar ôl noson o yfed trwm, wrth sobri, byddai'r ofn yn ei ôl mor gadarn ag erioed. Pe bai rhywun yn dweud yn gyhoeddus nad oedd yn ofni dim, yr oedd naill ai yn ffŵl neu yn gelwyddog. Ond yr oedd un fendith – yr oedd pawb yn yr un cwch (neu awyren) ac yr oedd y frawdoliaeth yn gymorth amhrisiadwy i'r naill a'r llall.

Rwy'n cofio pan gyrhaeddais y maes awyr gyntaf, rhoddwyd fi i gysgu mewn cwt Nissen ac ynddo ddwsin o wlâu, ond doedd neb yn cysgu yno ond fi. Clywais fod criw o saith wedi bod yn cysgu yno'r noson cyn i mi gyrraedd, ond nad oeddent wedi dychwelyd o'u taith dros yr Almaen. Sefyllfa gyffredin iawn yn 1943/44. Byddai rhai bechgyn yn dychwelyd a'u nerfau yn rhy ddrwg i hedfan mwyach.

Byddai'r disgwyl am ddyfodiad 'llenni nos' cyn cychwyn ar ein taith yn achosi poen meddwl. Ond unwaith yr oeddem yn yr awyr, yr oeddem yn rhy brysur i hel meddyliau, ac O! y llawenydd annisgrifiadwy pan welem y maes awyr ar ddiwedd y daith.

Ond ar y noson arbennig yr ydwyf yn cyfeirio ati, clywsom, er mawr ryddhad, fod ein targed y noson honno yng ngwlad Belg, dim ond ychydig oriau o'n maes awyr ni ym Mhrydain. Gwersyll anferth oedd y targed yr oeddem i anelu ato heb fod ymhell o dref o'r enw Bourg Leopold, a adeiladwyd ar frys ar gyfer rhai cannoedd o filwyr o'r Almaen a oedd wedi ffoi o ogledd Affrica ar ôl buddugoliaeth y Cadfridog Montgomery yno pan ddinistriwyd byddinoedd yr Almaen a'r Eidal. Ond llwyddasai rhai miloedd o filwyr yr Almaen i ffoi yn ôl i Ewrop gyda'u tanciau pwerus a'u gynnau. Rhai o weddillion byddin Rommel oedd y rhain yn Bourg Leopold.

Yr oeddem yn hedfan ddeuddeng mil o droedfeddi o uchder, yn drwm fel gwraig feichiog, yn cario pymtheg o fomiau pum can pwys yr un, yn ogystal â nifer helaeth o fomiau cynnau tân (*incendiaries*).

Wedi cyrraedd yr uchder angenrheidiol, yr oedd yn rhaid i'r peilot sicrhau ei fod yn dilyn, i'r llythyren, gyfar-wyddiadau'r *navigator*. Yr oedd yn syndod i mi, ac y mae'n syndod o hyd, fel y byddai'r *navigator* yn gwneud gwaith ymenyddol mathemategol cymhleth dan amgylchiadau dychrynllyd yn aml. Eisteddai mewn cornel fach mor agos i'r peilot ag oedd bosib, gyda siart enfawr o'i flaen a goleuni prin iawn, iawn. Ef fyddai'n rhoddi cwrs arbennig i'r peilot i'w ddilyn, ar ôl cymryd i ystyriaeth gyflymder y gwynt ac unrhyw rwystr arall allai ymyrryd â chwrs yr awyren. Pe byddem yn digwydd hedfan dros glwstwr o ynnau gwrthawyrennol y gelyn, galwyd arno ar amrantiad i newid cwrs ar unwaith, ond pan fyddai'r peryg drosodd, byddai'n rhaid iddo roddi cwrs newydd i'r peilot i ddychwelyd i'r trac cywir. Yr oeddynt hwy yn fechgyn ifanc deallus a dewr, ac y mae llawer o griwiau yn fyw heddiw oherwydd gallu'r *navigator* i'w harwain gartref yn ddiogel.

Erbyn 1944, er mwyn sicrhau llwyddiant llwyr i'r bomwyr, byddai ambell awyren, fel y Mosquito, gyda dau beiriant ac yn wironeddol gyflym, yn dangos y ffordd i'r bomwyr oedd yn dilyn trwy ollwng ffaglau ar y gwersyll, a dangos yn union i'r bomwyr leoliad y targed.

Pan gyraeddasom ni, yr oedd y Mosquito wedi gwneud ei gwaith yn drwyadl, ac yr oedd y don gyntaf o fomwyr wedi gollwng eu llwyth yn gywir ar y targed. Fel y dynesem at y targed, gwelem y gwersyll yn wenfflam, fel yn y darlun clasurol hwnnw, 'Dante's Inferno', ac adlewyrchiad o'r fflamau yn dangos yn glir amryw o'n bomwyr ni yn hedfan dros y targed. Gwelais oddi tanom Halifax arall a oedd yn gofyn am drwbwl, oherwydd yr oedd awyrennau'r gelyn yn disgwyl am gamgymeriadau o'r fath. Ni wn beth ddigwyddodd iddi, ond mawr obeithiaf ei bod wedi cyrraedd adref yn ddiogel. Yr oedd awyrennau'r gelyn yn y nos yn effeithiol iawn, gyda pheilotiaid medrus a phrofiadol, a dewr. Yr oedd yn rhaid eu hosgoi bob amser. Byddem yn ceisio eu hosgoi pan fyddai'r *'tail end Charlie'* neu'r gynnar hanner ffordd ar hyd corff yr awyren yn ein rhybuddio fod y gelyn yn dod i'n cyfeiriad, a dyna pryd y byddai'n rhaid taflu'r bomar o gwmpas i greu *corkscrew*, sef gwthio'r golofn reoli ymlaen a'r un pryd, taro'r *rudder* yn galed i'r chwith neu i'r dde a chreu syth-blymiad (*crash-dive*), a'i gwneud yn anodd i awyren y gelyn ein darganfod. Profiad dychrynllyd oedd hwn yn arbennig yn y nos, ond pa ddewis oedd gennym?

Pan fyddem uwchben y targed, byddai ffrwydradau fyrdd o'r gynnau Almaenig o gwmpas y targed yn achosi i'r awyren ymddwyn yn afreolaidd ar adegau, yn enwedig pan fyddai ffrwydrad yn weddol agos. Ar yr un pryd yr oedd yn rhaid osgoi'r chwiloleuadau a oedd yn eithriadol bwerus, ac os digwyddai un ein dal yn ei goleuni, byddai nifer o rai eraill yn taflu eu goleuadau arnom ar unwaith, a oedd o gymorth enfawr i awyrennau'r gelyn. Hefyd, gwelem oleuadau disglair fel peli pêl-droed yn codi o'r ddaear ac yn ymddangos fel petaent yn symud yn bur araf, ond fel y nesaent, gwelem mor gyflym y symudent mewn gwirionedd ac yr oedd y rheiny yn beryg bywyd. Felly, byddai ychydig funudau uwchben y targed yn teimlo fel oriau, a byddem yn dyheu am ddychwelyd i'r tywyllwch ac adref.

Byddai anelwr y bomiau, fel y nesaem at y targed, yn gwthio'i hun rhwng traed y peilot, nes byddai'n gorwedd yn y *perspex* yn nhrwyn yr awyren – nid y lle mwyaf diogel o bell ffordd. Yr oedd o mewn cysylltiad â'r peilot ar yr *intercom*, ac yn ei arwain at berfedd y targed. '*Right – right, left – left. Hold it – hold it... Steady, steady, steady. Bombs gone*,' a byddai sŵn y bomiau yn gadael yr awyren yn eglur i bawb, 'Clic, clic, clic' nes byddai'r cyfan wedi mynd – gobeithio. Yna gollyngid llwyth o fomiau tân yn un clwstwr i greu cymaint o ddifrod â phosib. Cyfeiriais uchod at y llwyth bomiau fel gwraig feichiog, a phan fyddai'r bomiau yn gadael, llamai'r awyren rai troedfeddi yn uwch ar ôl cael gwared â'r pwysau yn union, debygwn i, fel gwraig yn teimlo rhyddid ar ôl i'r baban adael y groth.

Yr oedd yn rhaid bod yn ofalus ar hyd y daith ar ôl gadael Prydain, ac wedi gollwng y bomiau, byddai'r *navigator* yn galw ar y peilot i adael cyn gyflymed ag y gallai, a byddai'r anelwr bomiau yn straffaglu yn ôl trwy'r twll cyfyng rhwng traed y peilot i gorff yr awyren. Yn ogystal â gollwng y bomiau, byddai'n cael cyfle i ddefnyddio un gwn yn y *perspex* i geisio dinistrio'r myrdd o chwiloleuadau a fyddai o gwmpas y targed.

Bwriad y bomio didrugaredd a dinistriol hwn oedd, nid yn unig dinistrio ffatrïoedd oedd yn cynhyrchu arfau rhyfel ar gyfer byddinoedd y gelyn, ond yr oedd hefyd yn rhan o bolisi Bomar Harris i ollwng tunelli o fomiau o bob math ar drefi yn yr Almaen i dorri calon y trigolion, a'u rhwystro rhag gweithio yn y ffatrïoedd a oedd yn darged i'r bomwyr. Nid wyf yn siŵr a fu hyn yn llwyddiant, oherwydd yr oeddwn yn cofio styfnigrwydd trigolion trefi Lloegr pan oedd bomwyr Hitler yn eu hanterth yn 1941.

Ar ôl gollwng ein bomiau ar y gwersyll yn Bourg Leopold, rhoddwyd cwrs newydd i ni gan y *navigator* a throwyd trwyn yr hen Halifax tuag adref.

Yn yr Ail Ryfel Byd, collodd dros bum deg pump o filoedd o awyrenwyr eu bywyd. Hufen ieuenctid Prydain a'r Gymanwlad. Heddwch i'w llwch. *Requiem in Pacem*.

Newid Byd

Ychydig wythnosau cyn D Day 1944, agorais fy llygaid mewn ystafell a oedd yn hollol ddieithr i mi. Yr unig sŵn yn yr ystafell oedd griddfan cyson awyrennwr ifanc mewn gwely cyfagos, a'i dad a'i fam, debygwn i, yn eistedd yn dawel wrth erchwyn ei wely. Roedd yn amlwg eu bod yn bur bryderus yn ei gylch. Deallais yn ddiweddarach mai ystafell gofal dwys oedd hon. Ffarweliodd y llanc ifanc â'r fuchedd hon y diwrnod hwnnw.

Rhoddwyd ar ddeall i minnau ymhen ychydig ddyddiau, fy mod wedi cael damwain ddifrifol, er nad oedd gennyf gof o gwbl o unrhyw ddigwyddiad o'r fath. Ac eto, yr oedd fy meddwl yn berffaith glir. Gwelwn fy rhieni yn Nhal-y-sarn, a'r dyffryn oedd (ac sydd) mor annwyl i mi. Yr oedd Holme-on-Spalding Moor yn fyw iawn yn fy nghof. Nid oeddwn yn dioddef poen o gwbl, nid bod hynny'n arwydd da bob amser. Ceisiais symud fy nghoesau a llwyddais heb unrhyw anhawster. Gallwn symud fy mreichiau a'm dwylo yn hollol ddidrafferth. Yna, sylweddolais fod cadach tynn am fy mhen, ac os edrychwn i'r dde neu i'r chwith, yr oeddwn yn gweld dau o bopeth. Yr oedd yn amlwg fod y ddamwain wedi amharu ar fy ngolwg – cyflwr, gyda llaw, sy'n parhau i achosi problem i mi hyd heddiw. Hefyd ni allwn anadlu trwy fy nhrwyn o gwbl, dim ond trwy agor fy ngheg, ac yr oedd yn amlwg bod rhywbeth o'i le. Ni wyddwn pa ddiwrnod oedd hi, na'r dyddiad, na pha bryd y deuthum i'r ysbyty, oherwydd sicrhawyd fi mai ysbyty ydoedd pan ddaeth nyrs ifanc landeg i'r ystafell ac ateb rhai o'm cwestiynau. Pan ofynnais iddi ble oeddwn i a pham roeddwn i yno, atebodd y rhan gyntaf o'm cwestiwn ar unwaith, ond dywedodd mai'r prif feddyg yn unig allai ateb yr ail ran, ac i ffwrdd â hi ar frys gwyllt a dychwelyd bron ar unwaith gyda'r prif feddyg hwnnw. Yr oedd yn amlwg bod y ddau ohonynt yn falch iawn pan atebais rai cwestiynau a ofynnwyd i mi yn hollol gywir, fel 'Beth yw eich enw?' 'Pa flwyddyn ydi hi?' 'Ble cawsoch eich geni?' ac ati. Roedd fy meddwl yn berffaith glir i raddau helaeth, ond bod rhan ohono ar goll yn rhywle. Dywedodd y meddyg wrthyf fy mod wedi bod mewn *coma* am naw diwrnod, a phan ddechreuais gryfhau, yr oeddwn yn rhegi fel cath – yn Saesneg. Agorais fy llygaid yn hollol ddirybudd – nid deffro fel y byddai person yn deffro o gwsg yn naturiol, ond yn hytrach newid cyflwr yn hollol – ond yr oeddwn yn ôl ar dir y rhai byw. Ar ôl ychydig ddyddiau, yr oeddwn yn gallu cerdded gyda chymorth y nyrsys a chleifion cymwynasgar a oedd yn gwella, ac yn symudol. Ymddengys i'm hawyren gael damwain neu anffawd o ryw fath, a dyna sut y derbyniais y nam difrifol i'm pen, yn arbennig o gwmpas fy nhalcen. Yr oedd rhai esgyrn ar ochr dde fy wyneb mewn cyflwr difrifol, ac ni fu fy nhrwyn byth fel yr oedd pan anwyd fi.

Cosford oedd enw'r ganolfan lle sefydlwyd yr ysbyty, heb fod ymhell o Wolverhampton, ac yr oedd rheilffordd o Wolverhampton i Cosford er mwyn hwyluso trafnidiaeth hynod brysur y cyfnod hwnnw. Lled cae i ffwrdd o'r ysbyty yr oedd maes awyr anferth, lle byddai ymarferion yn cael eu cynnal ddydd a nos, wrth i ddegau o Dakotas a myrdd o gleiderau ddarparu i hedfan a glanio ar y cyfandir yn Ffrainc yn y dyfodol agos, sef D Day. Yr oedd sŵn awyrennau yn codi ac yn glanio yn ddi-dor, ond yr oedd yn syndod pa mor gyflym y deuthum i gynefino â'r sŵn.

Ysbyty oedd hwn a arbenigai yn bennaf mewn clwyfau i'r pen a'r wyneb a'r dwylo ar ôl llosgiadau difrifol mewn awyren, oherwydd bod gofal a chyngor arbenigwr yn y maes yn hanfodol bwysig. Symudwyd fi i ran o'r ysbyty oedd yn canolbwyntio ar yr ymennydd. Yn yr adran hon, byddwn yn cael cyfle yn ddyddiol i gyfathrebu ag awyrenwyr ifainc fel finnau, ond eu bod hwy yn dioddef llosgiadau dychrynllyd i'r wyneb a'r dwylo fel rheol. Ar fy niwrnod cyntaf yn yr adran hon deuthum ar draws un awyrennwr yr oeddwn yn dra chyfarwydd ag ef ers rhai misoedd, ond ni allwn ei adnabod. Yr oedd yn hollol ddieithr yr olwg i mi heb flewyn o wallt ar ei ben, a'i amrannau a'i aeliau wedi diflannu. Yr oedd ei drwyn hefyd bron â diflannu, a chroen ei wyneb yn rumiau dwfn, a'i weflau yn annisgrifiadwy. Yr oedd yn gwybod nad oeddwn yn ei adnabod, ond cyfarchodd fi yn gwrtais ac egluro i mi beth a ddigwyddasai iddo. Nid ef oedd yr unig un; yr oedd rhai ohonynt mewn cyflwr gwaeth, ond y diwrnod cyntaf hwnnw, beth a'm trawodd yn fwy na dim oedd yr arogl arbennig yn yr ystafell, sef arogl croen wedi llosgi, ond cynefinais â'r sefyllfa yn fuan iawn. Ymhen amser, byddai'r meddygon yn llwyddo i wella'r cleifion fel y gallent unwaith eto fynd allan i'r gymdeithas a chael eu derbyn yn eu cynefin. Mewn gwirionedd yr wyf yn cael anhawster i ddethol geiriau addas i ddisgrifio cyflyrau difrifol y bechgyn hyn.

Yr oedd pawb y dyddiau hynny yn smocio er bod

sigarennau yn anodd eu cael ar adegau, ac yr oedd y cleifion hyn yn smocio'n drwm, a nifer ohonynt yn gamblo gyda chardiau. Y gêm fwyaf poblogaidd oedd Shoot Pontoon, a gallech ennill neu golli swm sylweddol gyda'r gêm hon. Ond beth arall allai'r trueiniad hyn ei wneud i gael rhywfaint o bleser mewn bywyd? Rwy'n cofio chwarae cardiau un diwrnod, ac yr oeddwn wedi ennill naw deg pump o bunnoedd, a chollais y cyfan y diwrnod canlynol. I fod yn llwyddiannus yn y gêm gardiau hon, yr oedd y ddawn o 'ddarllen' ymateb y chwaraewr i'w gardiau yn hanfodol – ond allwn i ddim gwneud hynny oherwydd roedd wynebau'r lleill yn annarllenadwy o ganlyniad i'w hanafiadau.

Bob hyn a hyn, byddai gŵr o'r enw Archibald McIndoe yn galw yn Cosford. Ef oedd y prif arbenigwr ym maes llosgiadau difrifol, yn arbennig i'r wyneb a'r dwylo. Ei ysbyty ef yn East Grinstead, Sussex fyddai'n rhoddi triniaeth i'r anffodusion hyn, ac yr oedd yn ysbyty enwog iawn yn ei dydd. Y meddyg gwych hwn a sylweddolodd, ar ôl trin nifer o beilotiaid yn gynnar yn y rhyfel, fod y rhai a ddisgynasai i'r môr yn ymateb yn well i'w driniaeth na'r gweddill, ac fe sylweddolodd fod dŵr hallt yn falm i'r croen. Ar sail ei ddarganfyddiad sicrhaodd fod pob un o'i gleifion yn treulio rhan o bob dydd mewn bath o ddŵr hallt.

Y mae'r arbenigwr hwn yn haeddu clod arbennig, yn ogystal ag ychydig gyfeiriadau at ei gefndir. Ganwyd ef yn 1900 yn Seland Newydd, ac ar ôl graddio ym Mhrifysgol Otago yn y wlad honno, gwahoddwyd ef i astudio yng Nghlinig Mayo yn yr Unol Daleithiau. Ar gais arbenigwyr o Brydain symudodd i Lundain yn 1930, lle treuliodd oriau lawer yn astudio ac arbrofi ym maes llawfeddygaeth gosmetig. Yn 1938 apwyntiwyd ef yn llawfeddyg cosmetig ymgynghorol i'r RAF, a diolch byth am hynny. Dyma'r cyfnod pan ddychwelodd y Prif Weinidog o'r Almaen ar ôl cyfarfod Hitler, gyda'r darn papur diddefnydd hwnnw, 'Peace in our time'. Gwyddai'r awdurdodau yn iawn fod rhyfel ar ein gwarthaf, a chlwyfau difrifol i ddilyn. Pan ddechreuodd yr Ail Ryfel Byd yn 1939, symudodd McIndoe i'r Queen Victoria Hospital yn East Grinstead, sydd yn enwog hyd heddiw.

Yr oedd tân mewn awyren yn ddigwyddiad pur gyffredin yn ystod yr Ail Ryfel Byd, yn arbennig yn ystod Brwydr Prydain, a byddai peilotiaid dibrofiad yn derbyn llosgiadau difrifol i'r wyneb a'r dwylo yn arbennig. Treuliodd McIndoe oriau maith ddydd a nos yn trin y cleifion hyn, a heb arfer gormodiaeth, y mae rhai cannoedd o awyrenwyr y cyfnod yn hynod ddiolchgar i'r arbenigwr o Seland Newydd am ei waith a'i lwyr ymroddiad o 1939-45. Byddai'r driniaeth i'r croen yn parhau am flynyddoedd i rai, ond triniaeth ysgubol er hynny fu ymdrechion McIndoe. Impynnau croen oedd ei brif ddiddordeb, ac yr oedd yn enwog am gyflymder ei law yn ystod llawdriniaethau.

Fel y mynegais uchod, byddai yn galw yn Cosford yn bur aml, a dyna pryd y deuthum i gysylltiad â'r gŵr hynod dalentog hwn. Ef, yn anuniongyrchol, a fu'n gyfrifol am roddi bywyd newydd i minnau, oherwydd ef a faentumiodd nad oedd dyfodol i mi fel peilot oherwydd fy namweiniau i'r pen, y trwyn a'r llygaid. Ef a benderfynodd pa fath o lawdriniaeth oedd yn angenrheidiol i'm gwella. Yr wyf yn ddyledus iawn iddo. Yr oeddwn yn falch iawn o glywed yn Ionawr 2013 fod yr awdurdodau yn bwriadu gosod cerflun yn East Grinstead o barch i McIndoe a'i waith arloesol.

Gallwch ddychmygu mor ddigalon oeddwn pan glywais ei ddyfarniad – wedi'r cyfan, yr oeddwn wedi rhoddi fy mryd ar dreulio fy ngyrfa fel peilot yn y RAF, ac wedi mynd yn syth o'r ysgol i'r Llu Awyr. Nid oedd gennyf swydd o unrhyw fath i ddychwelyd iddi. Roedd yn rhaid derbyn y drefn wrth gwrs, ond ni welwn lygedyn o haul ar fryn, dim ond tywyllwch dudew.

Trefnodd McIndoe i mi fynd am gyfnod adfer, i gryfhau, i blasty moethus yng nghyffiniau Southampton; yr oedd y perchnogion wedi rhoddi caniatâd i'r RAF i wneud defnydd o'r tŷ ar gyfer awyrenwyr a oedd wedi derbyn anaf difrifol yn y rhyfel. Ffoasant hwythau i rywle a oedd yn llawer mwy diogel rhag bomiau'r gelyn. Yn rhyfedd iawn, yma yr ymddangosodd haul ar fryn am y tro cyntaf; yma y newidiwyd fy mywyd a'm dyfodol.

Yr oedd yn y plasty nifer helaeth o ystafelloedd ar y llawr cyntaf, a ddefnyddiwyd fel ystafelloedd gwely i'r cleifion. Ar y llawr isaf, yr oedd nifer o ystafelloedd a ymddangosai'n anferth i mi o'u cymharu â'r gegin, y gegin fach, y parlwr a'r ddwy ystafell wely yn 14 Eivion Terrace, Tal-y-sarn. Yr oedd lolfa anferth ac ystafell fwyta addas iawn ar ein cyfer, ac ystafell biliards, lle byddem yn treulio llawer o amser.

Ond y lle pwysicaf oedd selar anferth lle gallem lochesu pan fyddai awyrennau'r gelyn yn y cyffiniau. Roedd y selar hon wedi'i threfnu ar gyfer gwaith coed. Fel y crybwyllais uchod, yr oedd dwylo rhai o'r cleifion druan yn debycach i grafangau aderyn na dim dynol. Yr oedd y selar yn lle ardderchog iddynt ymarfer eu dwylo, a choeliwch chi fi, yr oedd y trueiniaid hyn yn gweithio'n galed yn y selar ac yn cael budd pendant o'r ymarfer.

Nid oeddwn i yn un o'r anffodusion hyn; yr oedd fy nghlwyfau i yn wahanol, ac yma y cefais y cyfle cyntaf i eistedd mewn llyfrgell anferth yng nghanol rhai cannoedd o lyfrau, heb yr un llyfr Cymraeg wrth gwrs, ond cefais gyfle i weld copïau o lyfrau yr oeddwn wedi clywed amdanynt yn yr ysgol ond erioed wedi eu gweld, sef clasuron yr iaith Saesneg. Dyma lle deuthum ar draws copi o *Canterbury Tales* gan Chaucer, er nad oeddwn yn deall odid ddim o'r iaith. Yma y deuthum ar draws copïau o farddoniaeth glasurol a rhamantaidd a roddodd foddhad mawr i mi, beirdd fel Coleridge a Wordsworth, Keats a Shelley ac eraill. Treuliais oriau yn y llyfrgell hon, a fu o fudd mawr i mi pan gyrhaeddais Goleg Prifysgol Cymru yn 1945, a dewis Saesneg fel un o'm pynciau. Y mae'n rhaid i mi gyfaddef fy mod yn dyheu am weld cyfrol o farddoniaeth Gymraeg, ond yr oedd yn rhaid bodloni ar weithiau gwych ysgrifenwyr y Saeson, boed ryddiaith neu farddoniaeth. Dyma pryd y sylweddolais fod dyfodol i mi wedi'r cyfan, oherwydd dechreuais feiddio meddwl am fynediad i brifysgol. I ddarparu ar gyfer beth? Y Weinidogaeth? Go brin, yr oeddwn wedi profi gormod o bleserau'r byd hwn yn diota a mercheta, ymddygiadau fuasai'n hollol annerbyniol i'r blaenoriaid yn y Sêt Fawr. Ni allwn ddychmygu fy hun chwaith yn ymweld â'm praidd yn fy ngholer gron, ac yn sefyll yn y pulpud yn dysgu cynulleidfaoedd sut i fyw. Rhagrith fyddai hynny.

Beth am swydd fel athro? Yr oedd datblygu corff a meddwl plant yn apelio ataf, yn arbennig plant Cymraeg eu hiaith, ac ar eu tyfiant. Teimlais fod gennyf rywbeth i'w gynnig iddynt, pe bai ond profiad. Gallwn eu cynghori dros gyfnod o amser i wneud defnydd llawn o'u haddysg, nid fel fi, a adewswn yr ysgol a'm meddwl mor anaeddfed. Dyna ni, athro ysgol amdani.

Ond sut oeddwn i baratoi ar gyfer gobeithion o'r fath? Dyna'r broblem, ond yr oedd hen olwyn ffawd yn troi ac yn troi yn ddi-baid; a phan ddaeth fy nghyfnod i ben yn Southampton, dychwelais yn ôl i Ysbyty Cosford. Yn y fan honno rhoddwyd dewis i mi: naill ai aros yn y RAF fel swyddog mewn adran weinyddol (dim peryg), neu ddychwelyd i'r byd sifil. Ni dderbyniais y naill na'r llall ar y pryd, ac fel yr oeddwn yn cerdded o'r cyfweliad, gwelais hysbysiad ar yr hysbysfwrdd yn gwahodd cyn-aelodau o'r Llu Awyr i wneud cais am fynediad i Brifysgol o'u dewis. Cynigiwyd iddynt Rhydychen, Caergrawnt, Caeredin, Llundain ac un neu ddwy arall sydd wedi mynd o'r cof. Ond heb betruso o gwbl, dewisais Bangor, am ddau reswm yn bennaf. Yn gyntaf, gallwn ddychwelyd i'm cynefin yn Nyffryn Nantlle unrhyw benwythnos a chyfathrebu yn fy mamiaith, rhywbeth nad oeddwn wedi ei wneud ers bron i bedair blynedd; ac yn ail, gallwn astudio'r Gymraeg dan arweiniad rhai o ysgolheigion gorau'r iaith, a byddai'r mwyafrif o'r myfyrwyr yn siarad Cymraeg. Paradwys.

Nid oedd yn hawdd ffarwelio â'r RAF. Llencyn deunaw oed adawsai Tal-y-sarn yn 1941, ac er nad oeddwn ond dwy ar hugain oed yn 1945, teimlwn yn llawer hŷn. Ond yn ystod y cyfnod hwnnw o bedair blynedd, yr oeddwn wedi cael y fraint o gyd-fyw a chyd-hedfan â bechgyn ifainc fel finnau o bob cwr o'r byd a gwahanol gefndiroedd cymdeithasol. Llwyddasai'r cwbl ohonom i ffurfio brawdoliaeth unigryw iawn. Yr oedd ein cyfeillgarwch yn gadarn a diffuant, oherwydd yr oeddem wedi rhannu anawsterau ac ofnau cyffelyb, ac fel y crybwyllais ynghynt, yr oedd ofn yn rhan hanfodol o'n profiadau. Ar ein taith, collasom ffrindiau dan amgylchiadau annisgrifiadwy, a'r mwyafrif ohonynt yn eu harddegau neu eu hugeiniau cynnar. Y mae'r cyfnod hwn yn fy mywyd mor fyw ag erioed, ac fe erys bellach tra bwyf byw.

Ond y dyfodol oedd yn bwysig i mi ar y pryd. Yr oedd yn amlwg fod y rhyfel dychrynllyd yn prysur ddirwyn i ben, a chan nad oedd dyfodol o gwbl i mi yn y RAF gwneuthum gais i gael mynediad i'r Coleg ar y Bryn fel stiwdant.

Derbyniais docyn rheilffordd un ffordd o Cosford i'r Amwythig, lle'r oedd gwersyll gweinyddol anferth yn disgwyl amdanaf. Derbyniais ffurflenni pwysig yr olwg a sicrhâi fy niswyddiad. A dyna ddiwedd gyrfa hollol wahanol i'r hyn a ddisgwyliaswn ar ddiwedd y pedair blynedd.

Fel swyddog yn y RAF, tocyn dosbarth cyntaf ar y trên oedd gennyf, ond yn sicr yr oeddwn rhwng dau feddwl pan esgynnais i'r trên yn Amwythig. Yr oedd ynof hiraeth am y ffrindiau a adewais ar ôl, a'r cefndir milwrol yr oeddwn mor gyfarwydd ag ef, gyda'r wisg arbennig a'r ddisgyblaeth na wnaeth ddrwg i neb. Gwelwn hefyd wynebau a dwylo'r bechgyn hynny a losgwyd mor ddifrifol, a dymunwn wellhad buan a llwyr iddynt. Hiraeth, ie, ond yr oedd yn rhaid meddwl am y dyfodol.

Daeth fy siwrnai drên i ben pan gyrhaeddais orsaf Caernarfon am ryw reswm, a gorfu i mi fynd i'r Maes i gael bws i Dal-y-sarn. Fel pawb arall safwn yn amyneddgar yn y ciw, a gwelais fy nhad yn yr un ciw. Wel am groeso, yn arbennig pan ddywedais wrtho fy mod wedi gorffen yn y RAF – a gallwch ddychmygu beth fu ymateb fy mam i'r wybodaeth.

Yr oedd yr hen dŷ yn union 'run fath ag ydoedd pan

ffarweliais yn 1941, a sefais am eiliad yn yr hen gegin glyd ac edrych o'm cwmpas a gweld:

Y silff-ben-tân a'r piwtar,
Y pentan bach a'r ffendar,
Yr hen gloc mawr a'r dresar,
Yn daclus iawn fel arfer . . .

'Mari Fach', Meredydd Evans

Ond O! yr oedd yn anodd setlo yn fy hen ardal ar ôl pedair blynedd mewn gwledydd estron a bwrlwm hedfan. Gallwn godi yn y bore unrhyw amser a oedd yn gyfleus, a gwrando ar wahanol adar yn pyncio yn y gerddi tu allan i'r tai, ond yr oedd fy ffrindiau i ffwrdd, naill ai yn y lluoedd arfog neu mewn ffatrïoedd yng nghanolbarth Lloegr. Yr oedd yr unigrwydd yn boen i mi. Ni ddychwelodd llawer ohonynt i'w hen gynefin, ond yn hytrach sefydlu mewn trefi fel Coventry a Birmingham, a dychwelyd am wyliau yn awr ac yn y man, a'u plant yn Saeson uniaith. I ddyfynnu dwy linell o soned enwog Syr T. H. Parry-Williams, 'Llyn y Gadair', teimlwn:

Fel adyn ar gyfeiliorn, neu fel gŵr
Ar ddyfroedd hunlle'n methu cyrraedd glan.

Yr oedd hwn yn gyfnod cymysglyd iawn yn fy hanes, nes i mi dderbyn llythyr un bore o Brifysgol Bangor yn fy ngwahodd i fynd am gyfweliad i'r adeilad mawreddog ar y bryn. Nid oeddwn yn orhyderus o bell ffordd, oherwydd wedi'r cyfan, yr oedd fy nyfodol yn dibynnu'n llwyr ar y cyfweliad hwn. Cerddais i mewn i ystafell y cyfweliad yn bur dalog – ar yr wyneb – ond diflannodd fy ofnau pan glywais lais hynod garedig yn fy nghyfarch yn Gymraeg. 'Ifor Williams ydw i,' meddai, a sylweddolais fy mod yng ngŵydd ysgolhaig byd-enwog. Ond yr oedd mor garedig a chartrefol nes i mi ymlacio digon i sgwrsio ag ef wyneb yn wyneb. Profiad bythgofiadwy. Er bod dau neu dri o Saeson ar y Pwyllgor Dethol, dim ond Cymraeg glywais i'r diwrnod hwnnw.

Ymhen ychydig ddyddiau derbyniais lythyr o'r Coleg yn cadarnhau fy nerbyniad fel stiwdant ym Mangor, i ddechrau ym mis Hydref 1945. Yr oedd Nhad a Mam wrth gwrs ar ben eu digon, ac yn hynod falch, ac yr oeddwn innau mor hapus â'r gog. Treuliais bedair blynedd yn y Coleg, y blynyddoedd hapusaf i mi eu mwynhau erioed. Yn ystod y tair blynedd gyntaf gorfu i mi weithio'n galed yn ystod y darlithiau, a gyda'r nos yn fy stafell glyd yn Neuadd Reichel, ond byddai nos Fercher a nos Sadwrn yn rhydd i mi wneud beth bynnag a ddymunwn, a choeliwch fi, yr oedd digonedd o ddiddordebau diddorol ar gael.

Ond stori arall yw honno.

Cyn cloi'r llyfryn hwn, y mae'n orfodol arnaf gyfeirio at ddau a ddioddefodd boenau meddwl cyson yn ystod fy nghyfnod fel peilot. Cyfeirio yr ydwyf wrth gwrs at fy nhad a'm mam a fu'n gyfrifol am fy magu yn y dyddiau cynnar. 'Cariad mwy na hwn nid oes gan neb,' ydyw'r disgrifiad gorau o'u hagwedd tuag ataf ar hyd fy oes.

Pan fyddwn yn dychwelyd i'm maes awyr ar ddiwedd fy *leave*, ac yn aml yn gadael cartref yn gynnar yn y bore, byddai Nhad yn dod at waelod y grisiau cyn cychwyn i'r chwarel i ddymuno'r gorau i mi. Dim ond ar ddiwedd y rhyfel y sylweddolais y boen feddyliol fyddai yn ei gnoi ar ei ffordd unig i'r chwarel. Pan aethpwyd â fi i Ysbyty Cosford mewn cyflwr pur ddifrifol, anfonwyd telegram i Swyddfa Bost Tal-y-sarn, a chwarae teg i Miss Jones a oedd yn gyfrifol am y Swyddfa, cadwodd y telegram nes oedd fy nhad wedi dychwelyd o'r chwarel rhag i Mam ei weld ar ei phen ei hun. Yn ôl fy ewythr, pan ddarllenodd y teligram, yr oedd yn beichio wylo – fy nhad o bawb, fy arwr, yn wylo. Sut oedd o'n mynd i dorri'r newydd i Mam, dyna broblem arall, ac yr oedd hi, yn ôl yr hyn a glywais, bron a mynd o'i cho'.

Yn ffodus, yr oedd gŵr ifanc o Dal-y-sarn yn gweithio yn Coventry, ac roedd yn gyfaill mynwesol i Mam – yr oedd hi wedi bod yn ei fagu pan oedd yn blentyn. William Gordon Pritchard oedd ei enw, ond Wil Gord oedd o i drigolion Tal-y-sarn, a chwarae teg iddo, byddai yn galw i'm gweld yn bur aml. Nid wyf yn cofio ei ymweliadau o gwbl, ond byddai yn cael gwybodaeth brin gan y meddygon, ac yn anfon gair i ddweud beth oedd y newydd diweddaraf. Derbyniodd fy nhad ganiatâd y Llu Awyr i alw i'm gweld yn Cosford, ac yn ffodus i'r ddau ohonom, y diwrnod yr agorais i fy llygaid am y tro cyntaf, cerddodd yntau i'r ystafell. O! yr oeddwn yn falch o'i weld, ac yntau'r un modd, er nad oedd gennym lawer i'w ddweud; ond cofiaf ef yn gofyn i mi a fuaswn yn ysgrifennu nodyn bach i Mam, a gwneuthum hynny yn ddidrafferth.

Rwy'n cofio mwy neu lai beth a ysgrifennais yn y nodyn byr.

Annwyl Mam,
Rydw i'n teimlo yn llawer gwell, a byddaf yn dod adref ymhen ychydig.
Cled

Fel y dywedodd fy nhad wrthyf yn ddiweddarach, roedd yn llawer hapusach yn teithio'n ôl i Dal-y-sarn nag ydoedd yn teithio i Cosford y bore hwnnw. Nid wyf yn gwybod hyd heddiw sut y llwyddodd i deithio a darganfod yr ysbyty, oherwydd yr oedd angen newid trên yma ac acw, ac nid oedd ei Saesneg yn rhugl o bell ffordd. Ond yr oeddwn yn falch pan agorodd y drws a cherdded at erchwyn fy ngwely.

Gwirfoddolwr oeddwn i yn 1941, nid consgript, yr oeddwn yn ifanc iawn, a byddaf yn meddwl yn aml am y poen meddwl a achosais i'm rheini. Ond ar y llaw arall, yr oedd fy mhrofiadau yn y Llu Awyr, gan gynnwys ofnau nad ydwyf wedi profi eu tebyg cynt na chwedyn, y cyfeillgarwch anhygoel a fodolai rhyngom fel peilotiaid a cholli ffrindiau dan amgylchiadau dychrynllyd; yr oedd hyn oll yn rhoddi asgwrn cefn i mi a golwg llawer ehangach ar y byd o'm cwmpas. *Rhan* o'r datblygiad hwn oedd achosi poen meddwl i'm rhieni, ac nid yw'r teimlad o euogrwydd mor amlwg heddiw.

Bendith i lwch y ddau ohonynt.

Per Ardua ad Astra